nottetempo

Ali di babbo

ISBN 978-88-7452-126-5
© 2008 nottetempo srl
via Zanardelli 34 - 00186 Roma
Progetto grafico: Dario e Fabio Zannier
Copertina: Dario Zannier
Immagine di copertina: © Getty Images – Angelo Cavalli
In IV di copertina foto di Milena Agus: © Daniela Zedda
www.edizioninottetempo.it
nottetempo@edizioninottetempo.it

seconda edizione febbraio 2008

Milena Agus

Ali di babbo

nottetempo

A Enrico, Ettore, Marco e Valter,
tutti nella parte del nonno, con gratitudine

Vivere bene e vivere felici sono due cose diverse. E la seconda, senza qualche magia, non mi capiterà di certo.

Wolfgang Amadeus Mozart

1. Ali di babbo

La nostra posizione è 39° e 9' a nord dell'equatore e 9° e 34' a est del meridiano di Greenwich. Qui il cielo è trasparente, il mare color zaffiro e lapislazzuli, la vegetazione profumata, le scogliere granitiche argento e oro. Nelle piccole zone coltivate, rubate alla macchia, sulla collina, fra i muretti a secco, brillano in primavera i fiori bianchi dei mandorli, in estate i pomodori rossi e in inverno i limoni.

Ma tutta questa bellezza spesso ci annoia e sentiamo il desiderio del mondo normale e ci viene il nervoso. Allora madame e io, per sfogarci, se non possiamo andare in città, facciamo delle cose anche assurde come tuffarci in mare d'inverno, correre per i duecento metri di mulattiera ripida che porta giú alla spiaggia senza fermarci e poi risalire sempre senza fermarci, nuotare al largo sino all'ultimo degli scogli affioranti, oppure andare a piedi a Cala Pira e Punta Is Molentis, d'estate, per fare il bagno all'alba prima dell'arrivo dei turisti, o a cogliere gli asparagi, appena finito l'inverno, e tornare qui contente e farci le frittate.

I proprietari di queste terre sarebbero disposti a vendere e a lasciar costruire un villaggio turistico con delle strade comode sino alla statale. Ma nessuno può farci niente se non vende anche madame, che è una potenza millesimale, come dice nonno, perché ha la terra migliore, piú vicina alla costa e proprio in mezzo a tutte le altre. Tanti ettari di macchia mediterranea con l'albergo di madame, che non è proprio un albergo, ma una casa che può ospitare massimo otto persone.

A madame vogliamo bene. Come non volergliene quando ti porta il pane e la pasta fatti in casa e i dolci e d'estate i pomodori con il gusto di quando gli adulti erano piccoli. Ma pensiamo che è matta per questa sua follia di voler salvare, da sola, la Sardegna dal cemento, di non vendere e rimanere povera, di impedire anche a noi di diventare ricchi.

Nella mia famiglia, l'unica oltre ai vicini e a madame ad abitare qui tutto l'anno, anche nonno prima la pensava cosí, invece ora dice che nella vita si fanno tanti sforzi per adattarci al pensiero dominante, che ci sembra il migliore perché è quello della maggior parte della gente, mentre in molti casi dovremmo usare le energie per cambiarlo, questo modo di pensare comune, e qualcuno bisogna pure che inizi.

A proposito dei vicini e del fatto che loro vorrebbero vendere, madame non capisce come delle persone cosí religiose e buone, che fanno la preghiera prima di mangiare per ringraziare Dio del cibo, non lo ringrazino anche per questo pezzo di paradiso terrestre e vogliano permettere che costruiscano tanti cubi di cemento, ciascuno con il suo piccolo praticello all'inglese e tante strade adatte alle macchine e tutto per i soldi. Come se non si dovesse difendere l'opera del Signore anche quando non ci fa comodo.

La casa albergo di madame si affaccia sulla strada bianca, una porta carraia dà l'accesso a un corridoio che, lungo un fianco dell'abitazione, arriva poi al grande cortile, e sul cortile il porticato. Dalla piccola porta d'ingresso, invece, si entra in casa e prima di tutto si trova la stanza di ricevimento, poi a destra la dispensa, un'altra stanza di ricevimento e poi la grande cucina che apre sul porticato. A sinistra ci sono le camere e la scala per il piano superiore con le altre stanze degli ospiti, comunicanti, ma madame, per non togliere le belle porte, le ha semplicemente chiuse a chiave.

Madame non ha un giardino, perché cosa c'è di piú bello che in inverno i narcisi sulla collina, il cisto fiorito e i fiori azzurri del rosmarino in primavera e i gigli selvatici in estate? Soltanto ai lati del cortile coltiva dei fiori che ormai non si vedono piú da nessuna parte, le fucsie, la passiflora, i gigli rossi. Cerca anche di far crescere un cappero, con quei fiori che sembrano gli uccelli magici delle favole, ma non c'è niente da fare, la terra è troppo buona per il cappero e magari lo si vede a Cagliari, o a Villasimius, sui muri, e qui niente.

Tranne quella di madame, le nostre case sono moderne e funzionali, copiate da quelle dei villaggi di Torre delle Stelle, Geremeas, Kal'e Moru, Costa Rei. Nonno ha bisticciato con nonna Elena, quando era ancora viva, e con mamma per questo, ma lo stile *antigoriu 'e nannai*[1], tranne a lui, non piaceva a nessuno.

Nonno e madame sono molto amici. Tutti e due ormai d'accordo sul fatto che questa terra non si vende. Nonno, come un papa da quando ha perso tutto e da ricco signore di città, professore di filosofia per puro piacere e non per bisogno, si è trasformato in pensionato contadino e si diverte un mondo a essere povero, a risparmiare, a pesare e dividere quello che raccogliamo, a tenere il libro dei conti; madame, finita qui a fare l'albergatrice dopo l'ennesimo lavoro e fallimento sentimentale.

Conoscono i sentieri di rovi e corbezzoli e felci che portano al di là dei monti, fino alle cascate altissime con tre o quattro salti dove l'acqua forma limpidi laghetti circondati da oleandri in cui spesso abbiamo fatto il bagno divertendoci tantissimo con nonno, che alla sua età si mette sotto il getto della cascata per farsi bello, e madame che canta con la sua voce melodiosa.

Sulle colline, nei versanti a sud est al riparo dal maestrale, abbiamo i mandorleti e facciamo un po' di soldi con le mandorle, che si vendono a caro prezzo per i dolci sardi e con la verdura e la frutta degli orti, soprattutto i pomodori di madame, che al mercato a Cagliari d'estate vanno a ruba e tutti si chiedono come

---

[1] "Antiquato", in senso dispregiativo: *démodé*.

Richmond Hill Public Library
.   Check OUT Receipt

User name: FELDMAN,
REKISHA (MS)

Item ID: 32971009609953
Title: Ali di babbo
Date due: August 4, 2012
11:59 PM

Item ID: 32971011236894
Title: Attenti alle rose
Date due: August 4, 2012
11:59 PM

Item ID: 32971011371162
Title: Lentamente prima di
morire
Date due: August 4, 2012
11:59 PM

Item ID: 32971012479188
Title: Monster high
Date due: August 4, 2012
11:59 PM

Total checkouts for session:
4
Total checkouts:4

.   Join our online
TD SUMMER READING
PROGRAM
.   for children
.   starting June 25

mai non sanno di acqua e hanno davvero il gusto di pomodoro e, sembra impossibile, ma piú che con gli ospiti dell'albergo, madame campa con i pomodori e le conserve.

Della ricchezza della mia famiglia non è rimasto niente. Viviamo tutti della pensione di nonno e di questi pochi terreni coltivati rubati alla macchia. Ma in fondo, a parte il denaro liquido, non ci manca niente. Le galline ci danno le uova, e l'orto le verdure e la frutta. Abbiamo carciofi, pomodori, cavolfiori, spinaci, fagiolini, piselli, zucchine, peperoni, bietole, cavoli, melanzane, ravanelli, lenticchie e ceci. Cento anni fa furono scavati i pozzi per l'acqua, che ora, per mezzo di elettropompe, si riversa nei vasconi di cemento e poi arriva agli orti attraverso una rete di canali e solchi nel terreno. Dell'acqua da bere andiamo a fare la provvista alle sorgenti dietro i monti dei Sette Fratelli, per la corrente elettrica abbiamo le pale e le dinamo e, se non c'è vento, i generatori, e telefoniamo con i cellulari cercando i punti dove prendono. Di niente si può fare spreco. Sia noi che i vicini abbiamo il fuoristrada per arrivare sin qui dalla statale. Invece madame ha un'auto in stile *antigoriu 'e nannai*, una Ford Fiesta vecchia di vent'anni, che sta sempre lí a lustrare e a vantare per come parte al primo colpo con qualunque tempo e che una volta nonno ha leggermente ammaccato facendo una manovra che a madame non riusciva e lei ne stava facendo una tragedia. Nonno si è innervosito e le ha detto: "Manco fosse una Ferrari!" Da allora il vecchio catorcio di madame è la "Ferrarina". Oltre a questi mezzi di trasporto abbiamo anche due cavalli, uno di nonno, Salvo, perché non correva piú e nonno, ai tempi del maneggio quando era ricco, l'aveva sottratto alla morte portandolo qui, e Amelia, una cavalla sempre del maneggio, anche lei destinata al macello, che ha regalato a madame. Tutto il resto è macchia.

Madame ha molto a cuore la felicità della gente e crede nella magia; per ogni ospite dell'albergo fa i tarocchi per capire quello di cui ha bisogno e quindi darglielo, soltanto che le carte danno risposte troppo difficili e allora lei si limita al significato dei numeri. Per esempio la tavola, se si tratta di coppie, la apparecchia con il numero quattordici, la Temperanza, l'unione tra due elementi separati, quattordici ravioli, quattordici dolci, quattordici mestolini di minestra. Se si tratta di donne sole, il Carro, sette dolci, sette ravioli piú grandi, sette forchettate di pasta, perché il sette è l'amante che, se non c'è, con questa magia magari arriva. Spesso ci abbina il tre, l'Imperatrice, per esempio, a colazione, caffè, latte e cioccolata, perché il tre è il numero dell'esplosione creativa e nelle storie fra amanti, l'amante donna permette all'uomo di vivere bene altrove il suo focolare e questa non è una cosa felicissima, ma è comunque meglio di niente. Il sei è preferibile, l'Innamorato, anche se è un innamorato che cerca di prendere tutto perché non sa scegliere.

Ma se aggiungi un tre, per esempio tre posate, forchettine da dolce, cucchiaino per lo zucchero e per il caffè, allora diventa nove, e nove è l'Eremita, la solitudine, che anche se illuminata, secondo madame è la peggior cosa, quindi bisogna assolutamente fermarsi a otto, la Giustizia, la Perfezione. Inoltre i bicchieri non devono rotolare sulla tavola, né rompersi, né si devono incrociare i coltelli. Sul diciassette, la Stella, madame è cauta. Significa generosità, altruismo, ma siamo cosí abituati al solito diciassette portasfortuna, che madame del diciassette preferisce non fidarsi. Molto meglio il diciannove, il Sole.

Gli ospiti dell'albergo non lo sanno e mangiano ignari quattordici polpette o diciannove ravioli o sei dolci, e invece fa tutto parte di un disegno che madame crea apposta perché siano felici.

Per quanto riguarda la sua, di felicità, madame dice che se non è già arrivata, è molto difficile che arrivi a una certa età. Certo non impossibile. La peggior cosa è la solitudine. Quando pranza da sola, e questo avviene quasi sempre, senza tovaglia e con il tovagliolo di carta, sente un fantasma che le dà dei colpi alla testa, buttandogliela nel piatto. Come se il fantasma la rimproverasse di non essere capace di vivere con qualcuno, di avere un amore. Anch'io questa sua solitudine non me la spiego, se non con una maledizione, perché madame è la persona piú bella e buona che conosco e nel suo calendario trovi scritto il promemoria di tutti i favori che deve fare: il pane appena sfornato ai vicini, l'iniezione antidolorifica a mia mamma e cose del genere.

Madame la chiamiamo madame e la sua cavalla Amelia Amélie, ma nessuna delle due è certo francese, il fatto è che un giorno o l'altro madame dovrà andare a Parigi per vedere come se la cava il primogenito dei vicini, il musicista. I vicini sono molto osservanti delle regole cattoliche e hanno tanti figli quanti Dio ha voluto, ma non possono stargli dietro. Cioè, gli stanno dietro, ma in generale e non in particolare. Quindi madame si prepara a partire e va due volte alla settimana in città a studiare il francese, soltanto che qualunque tipo di scuola le mette l'ansia e soffre molto. Ma Parigi. Oh, Parigi!

Lei ammira molto questa famiglia dei vicini e non soltanto perché sono brave persone, ma perché hanno capito come si fa a essere felici.

Invece per me prova pena. Per quello che è successo a causa di babbo, che era il miglior babbo del mondo, ma improvvisamente è andato via, perché era un giocatore di carte ricercato dai creditori e dalla polizia. Così ci hanno pignorato le case in città e siamo venuti qui, nell'unica terra rimasta, mamma, le mie sorelline, mia zia, il nonno e la nonna Elena, che è morta dopo poco tempo. Per tutto questo, babbo l'ho odiato. Sino al giorno in cui è successa una cosa. Magica. Me ne stavo rannicchiata nel letto della stanza dell'albergo che madame lascia sempre libera per me e non riuscivo a prendere sonno, un po' perché a scuola avevo una sfilza di votacci e di arretrati in tutte le materie e un po' perché una mia compagna era venuta a trovarmi e si era annoiata nonostante avessimo visto i delfini saltare di fronte a Serpentara.

Ho sentito soffiare come se qualcuno giocasse a farmi vento. Non lo vedevo, ma quello era uno scherzo tipico di mio padre. Il vento ha sollevato le lenzuola su sino al soffitto e si sono formate due grandi ali, una il lenzuolo di sotto, una quello di sopra, e si distinguevano perché quello di sopra ha la passamaneria e l'altro no. Sono rimasta soltanto con le coperte e babbo non smetteva di soffiare per gioco e, anziché morire di paura, mi divertivo un mondo. Allora ho capito che mio padre era morto e non tornava da noi perché non poteva e non perché non voleva. E questa è un'idea che avevo sempre avuto, dal giorno in cui se ne era andato, che mio padre non è tipo da lasciarci cosí. Soprattutto me, la primogenita, la prediletta. E infatti è tornato, a modo suo, da me è tornato.

2. Il ferito

Ma certi giorni a madame fa pena tutto il mondo. Guarda la spiaggia deserta di sassolini bianchi, il mare celeste, turchese, blu infinito, la notte il cielo pieno di stelle, sente il profumo della macchia e dice che anche questo posto è poveretto, che tanta gente vorrebbe metterci le mani e magari anche incendiare la macchia per rovinare tutto e costruirci delle villette a schiera.

Ora in albergo c'è un ferito che a madame piace molto. Starà qui finché non guarirà. Dopo averlo accompagnato, la sua fidanzata è ripartita al Nord, in Continente, e lui ne parla sempre e non dice "io", ma "noi", "noi pensiamo questo e quello, noi facciamo questo e quello," per indicare che sono una cosa sola. Soffre perché da lei non si separa mai, hanno fatto abbracciati tutto il viaggio per venire in Sardegna. Si chiama Gioia, ma il ferito la chiama La Gioia, come usano dalle sue parti. Così, quando parla di lei, a noi sembra si tratti della gioia, nel senso della felicità, invece è la sua fidanzata. Quando La Gioia è venuta a portare il ferito, non ci è piaciuta per niente. Una donna che per non ingrassare, ai buoni cibi di madame preferisce delle buste di proteine e vitamine da sciogliere in un bicchiere d'acqua e che non fa una passeggiata al mare se madame non la porta con il calesse, come se fosse ferita, e mai se c'è vento, per non scompigliarsi i capelli, neri e lisci, la riga dritta da una parte, una frangia con una virgola che copre un po' un occhio e altre due virgole sotto le orecchie.

3. Il figlio piccolo dei vicini

"Chi è?" si è messo a gridare Pietrino, il bambino piccolo dei vicini.

"Chi è?" e puntava in alto il dito. Allora abbiamo guardato su, per vedere se magari c'era un aereo o qualche altra cosa strana. E invece nel cielo non c'era niente e quindi non poteva essere che la luna.

Quando Pietrino è nato, eravamo già qui. Ricordo il bisbiglio e la culla nella stanza sotto il tetto e la finestra da cui si vede la distesa di macchia e all'orizzonte un pezzetto di mare blu. Pietrino è nato d'estate e la sua culla era riparata dal velo della zanzariera. La finestra era aperta e soprattutto la sera, la brezza portava dentro i profumi della terra e del mare e si stava a vegliare il bambino senza accendere la luce, nella cameretta che al tramonto diventava arancione e poi violetta e poi fosforescente, illuminata soltanto dalla luna. E sempre bisbigliando, nonna Elena, che allora era ancora viva, e mamma, che non era malata, e la nonna dei vicini, e la mamma dei vicini, rievocavano le altre nascite. E madame, che non poteva raccontare di nessuna nascita, non faceva che andare e venire da casa sua, in groppa ad Amelia, che allora non si chiamava ancora Amélie, carica di panieri di cibo per tutti. E il figlio grande dei vicini, che non era ancora partito per Parigi, suonava con la tromba *A Child is born* di Thad Jones, convinto che nel silenzio la musica arrivasse dalla macchia sino alla finestra del fratellino.

Tutto era magico e felice. Ma poi i vicini si sono dimenticati di Pietrino, o meglio, non si sono dimenticati, semplicemente non hanno fatto per lui piú nulla di speciale. Niente bisbigli. Niente racconti. Niente Thad Jones.

Adesso Pietrino non dorme piú nella stanzetta sotto il tetto, che deve essere sempre perfettamente in ordine per la loro nonna quando viene ospite dal paese, ma con i fratelli. Si canta la ninnananna da solo, tutte le notti, e si dondola, sempre da solo, e i fratelli gli lanciano i cuscini e minacciano di soffocarlo se il cerimoniale notturno del piccolo tira troppo per le lunghe.

Ma Pietrino ha il suo mondo e non ha bisogno di nulla. Neppure dei giocattoli. E al fratello grande, quando torna da Parigi, chiede di portargli qualcosa. Ma non sa che cosa. Neppure il fratello grande lo sa. Allora gli porta i biglietti usati dell'aereo o del metrò, una busta del pane con le scritte in francese, una bottiglietta d'*eau minerale Vittel* e il bambino poi mette tutto in una cassetta che pensa sia magica e che chiama il tesoro di Parigi.

4. L'amante di madame

Madame ha un amante in città, con cui non esce e che non viene qui, che da lei non vuole favori, che non le fa da mangiare e quando va a trovarlo e lo vede cucinare, ogni volta si illude che sia la cena per lei e invece sono i pasti della settimana che poi lui mette nel freezer e non è che le dica "vuoi assaggiare?".

Una volta madame si è fatta coraggio e gli ha chiesto se gli piacerebbe cenare con una donna, per il gusto di mangiare insieme delle cose buone, di condividere una bella sensazione. Lui ha risposto che sí, certamente, nella situazione giusta, al momento giusto.

Madame ha sentito un tale spavento che ha giurato a se stessa che mai piú gli farà domande cosí sceme. Domande cosí sceme fanno sparire tutta la magia. E senza la magia la vita è soltanto un grande spavento.

5. Il gallo Niki Niki

Niki Niki becca tutti quelli che osano avvicinarsi. Ora è un gallo. Ma prima era un pulcino senza madre e i suoi fratellini erano morti e i nostri vicini non volevano darcelo perché i pulcini senza madre e senza fratelli muoiono. Faceva questo verso, poveretto, Niii! Kii! Nii! Kii! Io in Niki Niki ci ho creduto. Ho sperato che vivesse. Dormiva nella mia mano e per la cacchetta gli ho fatto un pannolino di lana e nella sua scatolina ho messo uno specchietto e cosí ha pensato di avere dei fratelli, una famiglia, la mamma-mano e lo specchio-fratelli, e invece eravamo sempre solo io, che facevo le magie, e lui che ci credeva.

Questa mia fervida immaginazione mamma non la sopporta. Dice che sono bugiarda. Come mio padre. Non sopporta neppure che quando mi chiamano non rispondo e se rispondo ci sono con il corpo, ma chissà dove con la mente. E la cosa che tollera meno è che se racconto qualcosa, magari nei minimi particolari, poi si scopre sempre che non è andata davvero cosí e la realtà mi ha solo ispirato.

Mamma dice che ormai lei dalla malattia alla schiena è condannata a vivere fra il letto e la poltroncina e le

piacerebbe sapere com'è il mondo là fuori e le dà fasti-
dio pensare che i miei racconti siano frutto di fantasie.
Potrebbe chiedere a nonno, alle mie sorelline, a zia,
soltanto che nonno con le sue idee assurde le fa venire il nervoso, le sorelline sono troppo confusionarie e
approssimative e zia non racconta mai niente, occupata com'è a studiare Leibniz. Anzi, non direi occupata,
perché è disperatamente in cerca di un lavoro. Parte
spesso per dare i concorsi e non li vince mai. Eppure
è bravissima e all'università le danno delle borse di
studio per scrivere su Leibniz e fare delle conferenze
in tutto il mondo. Ma finiti i soldi delle borse di studio, a quasi quarant'anni, è nonno che deve pensare
a lei. In particolare gli studi di zia riguardano il lato
irrazionale del pensiero di Leibniz, che però è razio-
nalissimo. Zia ha tenuto conferenze e seminari e a noi
sembra buffo che tante persone prendano gli aerei e i
treni e le navi sino in capo al mondo per sentir parlare
del grande filosofo tedesco. Soprattutto siamo rimasti
a bocca aperta quando è andata a Tel Aviv, dove c'è il
maggior studioso vivente di Leibniz. I filosofi palestinesi affrontavano un vero calvario di perquisizioni e
umiliazioni per essere ammessi al seminario di studio,
e i filosofi israeliani superavano la paura di saltare per
aria, con tutti quei potenziali kamikaze in sala. Ma
hanno dissertato per mesi su Leibniz e sul suo *miglior
mondo possibile* e sul *male come non-essere* senza che
succedesse niente e zia è sempre tornata sana e salva

e con una borsa di studio per scrivere ancora, ma non con un vero lavoro.

Succede anche che torni con un fidanzato, sempre filosofo, ma a volte israeliano e a volte palestinese. Noi questi fidanzati non li capiamo, perché con zia parlano l'arabo o l'ebraico. Con il resto della famiglia si esprimono in inglese, ma partecipa davvero soltanto nonno, perché noi altre non siamo granché brave nelle lingue straniere. Cosí ai fidanzati arabi abbiamo imparato a chiedere: *"Kaifa haluka?"* E loro a noi: *"Ana bi-khair"*. Invece con quelli israeliani ci salutiamo dicendo *"shalom"* e li capiamo quando si rivolgono a mamma con un *"hazak!"* o dicono che nonno è *"zaddik"*. Tutto qui.

Neppure mamma ha un lavoro, perché si è sposata con babbo appena finito il liceo e poi ha avuto noi figlie e soprattutto eravamo cosí ricchi che dei suoi soldi, davvero, non c'era bisogno. Quando sono arrivati i tempi duri si è ammalata. Una strana malattia che i dottori attribuiscono a un problema delle vertebre e che la fa stare a letto per la maggior parte della giornata. Nonno consola le sue figlie e dice che dei soldi non ce ne facciamo niente, viviamo in un posto meraviglioso e in fondo abbiamo quello che ci serve e tanti pagherebbero miliardi per vivere qui.

Invece nonna Elena era diversa, per lei questo era il corno della forca e ogni volta che zia rientrava da un viaggio e parlava del successo che avevano avuto le sue teorie sul pensiero irrazionale di Leibniz e diceva che però il lavoro non glielo avevano offerto, ma un'altra borsa di studio, se ne andava in camera sua a piangere. E anche quando la mia sorellina si mise a pronunciare la *t* anziché la *c*, diceva che noi avevamo le carte in regola perché le bambine parlassero bene, e invece no. Le stava dietro, *"ca"* e la bambina *"ta"*, e nonna Elena *"casa!"* e la bambina *"tasa!"* e nonna *"cane!"* e la bambina *"tane!"* Allora si ritirava in camera sua a piangere, perché ormai noi, dopo la fuga di babbo, eravamo maledetti e piú niente andava come doveva andare.

6. Il figlio grande dei vicini

Il figlio dei vicini suona la tromba jazz a Parigi e a casa avrebbero preferito la musica per svago e non come vero lavoro. Quando torna qui sono litigi. Una volta, d'inverno, era presente madame mentre lui bisticciava con i genitori, che disprezzavano con parole pesanti il jazz e lui stesso e meno male che, insospettita, lei gli era andata dietro dopo che era uscito sbattendo la porta, perché si era buttato in mare con il giubbotto e le scarpe. L'aveva portato in casa e l'aveva asciugato con il fon. I vicini dicono a madame di pregare per questo figlio destinato a fare il barbone drogato e alcolizzato sotto i ponti della Senna e lei dice che sí, pregherà, ma il ragazzo è astemio e sa che non si è mai rollato neppure una canna.

Naturalmente i genitori non gli hanno certo comprato la tromba, è stata madame.

Quel giorno il figlio dei vicini aveva fatto vela a scuola e aspettato per ore che madame arrivasse con la Ferrarina all'ingresso della statale. Neppure io ero andata a scuola e mi ero aggregata a lui. Nonostante le raccomandazioni di madame perché mi desse uno sguardo, visto che ero una bambina e i miei non volevano che arrivassi sino alla statale senza un adulto, correva davanti e io dietro. In tutte quelle ore di attesa, nascosti nella macchia, perché guai se i suoi genitori o la nonna avessero scoperto che per comprare la tromba non era andato a scuola, non aveva detto una parola e tamburellava su una pietra dei brani musicali che mugugnava a bocca chiusa. All'arrivo della Ferrarina ci era saltato sopra pazzo di felicità e se non fosse stato per madame mi avrebbe dimenticato lí. Tornati da Cagliari con la tromba, siccome i genitori lo avevano già avvisato che di suonare in casa non se ne parlava, madame gli aveva messo a disposizione una stanza che lasciava sempre libera per quando c'era brutto tempo e questa stanza, adesso che se n'è andato, è per me. Non c'è niente altro che una sedia e un letto, perché madame non ama la cianfrusaglia e chiama cianfrusaglia anche l'argenteria. Eppure questa stanza è bellissima. Al piano di sopra. Inondata dalla luce. Dietro la finestra il mare all'orizzonte si confonde spesso con il cielo e quando passano le navi sembra viaggino sospese, magiche, dietro i vetri.

Madame non ha avuto figli, né matrimoni, né unioni di fatto, soltanto molti amanti, che poi si sono sistemati con altre donne e con loro vivono come mai hanno voluto fare con madame. Ma lei non gli vuole male. Anzi. Dice che questi amanti sicuramente avranno avuto le loro ragioni, soltanto che, anche a pensarci giorno e notte, non riesce a spiegarsi perché di lei non si innamori nessuno. Invece per la nonna dei vicini una spiegazione c'è, madame *esti manna e tonta*[2] e tutti questi amanti *pira cotta pira crua dognuno a dommu sua*[3], da una donna non dovrebbero neppure essere presi in considerazione.

Alla nonna i vicini dicono che il nipote a Parigi studia all'università e questo perché i vecchi non bisogna mai preoccuparli. Quindi se fa delle domande si mettono subito a raccontare balle incredibili. L'altro giorno, a un certo punto, la nonna ha detto: "Vi devo fare un rimprovero, una cosa che mi ha fatto davvero male," e tutti si sono gelati pensando avesse capito che il nipote non è alla Sorbona, ma in giro a suonare jazz, e li rimproverasse per non averla ritenuta degna di confidenza e sincerità.

Silenzio. Poi la signora ha concluso: "L'ultima volta che era qui, ho notato che vostro figlio non aveva i fazzoletti per soffiarsi il naso! È mai possibile che quando esce non glielo ricordiate? Si pulirà con la manica. A Parigi!"

---

[2] "Grande e tonta".
[3] "Pera matura pera acerba, ognuno a casa sua".

7. I cybernauti

L'amante di madame glielo ha fatto conoscere la ex moglie, che era insegnante nel corso di francese in città. Anche se è gentile, madame ne aveva paura, come di qualsiasi insegnante al mondo. Oltre che gentile, la ex moglie è disponibile all'amicizia e si è messa in testa di poter cambiare in meglio la vita di madame. È lei che le ha presentato l'ex marito, di cui non è per niente gelosa. Anzi.

Gli ospiti dell'albergo di madame sono spesso dei cybernauti che la ex moglie dell'amante conosce in chat. Ma qualche volta viene anche senza uomini, soltanto per trovare madame e parlare di sogni di felicità e dire che lei chatta perché qui in Sardegna uomini non ce ne sono e ovunque vai trovi soltanto femmine, perché la nostra è una società matriarcale. Dice che da quando si è separata, nessun maschio di qui la invita da nessuna parte e quindi gli uomini li contatta nel cyberspazio.

Quando i cybernauti sono infelici perché la storia con la ex moglie dell'amante non funziona, non gliene importa niente della spiaggia bianca e deserta, delle

piccole isolette di scogli brillanti al sole, del mare color zaffiro, delle uova di giornata fatte dalle tante mo-
gli di Niki Niki, dei veri pomodori, dei limoni di cui
si può mangiare anche la buccia perché naturali. Si
attaccano al telefono per anticipare il volo di rientro.
Madame è infelice con loro e ci prova a fare delle magie per migliorare le cose, non dico con i quattordici
dolci sardi, il legame, ma almeno con il sette, l'amante,
o le tre posate, il piacere, e quando vede che proprio
non c'è niente da fare, allora lascia pure che i bicchieri rotolino o che i coltelli si incrocino. Una volta un
cybernauta triste, che non era piaciuto alla ex moglie
dell'amante, non era riuscito a farsi il biglietto di ritorno in Continente prima del lunedí e si era rintanato in
camera sua per tutto il sabato e la domenica; madame
spiava ansiosa per vedere se almeno filtrava un po' di
luce dalla porta e invece lui aveva chiuso gli scurini in
faccia al cielo.

Se invece la storia con la cybernauta sarda va bene,
allora questo è davvero uno spazio diverso. Magico.

Ma poi arriva sempre il giorno in cui la ex moglie
dell'amante viene da sola a trovare madame e dice che
è tutto finito, che ora bisogna rimboccarsi le maniche
e trovare qualcun altro. Perché anche madame non si
dà un po' da fare? Perché non vanno insieme a giocare a golf? Perché non si iscrivono a un corso di danze
latino-americane? Perché non vanno a cavallo in un
maneggio? Madame sa andare cosí bene a cavallo, ma

in giro per i monti con Amélie non conoscerà nessuno di certo e starà sempre lí a pensare al suo amante, l'ex marito che lei gli ha presentato pensando di fare del bene. E invece. Perché non si mette a chattare anche lei? Perché non vende la terra e non diventa ricca e non si veste bene e non si fa dei bei viaggi? Madame ride tantissimo e vuole bene all'ex moglie dell'amante, ma di fare tutte queste cose non ci pensa nemmeno e pur di non farle preferisce rimanere povera e zitella.

Quando deve arrivare la ex moglie dell'amante, madame avvisa i suoi amici del Senegal e del Pakistan e del Marocco, che d'estate passano da lei a rifocillarsi un po' per interrompere il duro lavoro delle vendite nelle spiagge. Madame serve da mangiare e da bere e la ex moglie dell'amante compra e se ne va contenta con nuove collane, braccialetti, borsette, vestiti.

La ex moglie dell'amante fa un po' la corte a nonno. Dice che è affascinante e che per le donne della loro età ci vogliono uomini molto piú piccoli o molto piú grandi, perché con i coetanei non attacca. Ma nonno va da madame quando l'amica se n'è andata, e dice che a lui questa gente che crede di mettersi a posto la coscienza con il Terzo Mondo comprando quattro cazzate gli dà il voltastomaco e non solo non si fidanzerebbe mai con la ex moglie dell'amante di madame, ma non la vorrebbe nemmeno vicina di loculo nel cimitero.

Madame dice a nonno che però la ex moglie del suo amante è bella e assomiglia a Nicole Kidman, soltanto è piú vecchia. Allora lui risponde che sí, onestamente, è vero, per parte di madre. Nel senso che sua madre è Nicole Kidman e suo padre è un porcellino. La ex moglie dell'amante secondo lui è quindi un incrocio fra la bella attrice e un maialetto. E poi a nonno i capelli biondi ricci gli danno il voltastomaco. Gli piacciono biondi lisci, come i miei e delle altre donne di famiglia, o neri ricci, come quelli di madame.

Una volta madame voleva essere amata e ammirata e fortunata come La Gioia ed è andata a Cagliari a stirarsi i capelli da un parrucchiere bravissimo e nonno ogni volta che la vedeva, le rideva in faccia e le diceva che sembrava un topo che avesse fatto il bagno nell'olio.

8. Il fantasma

Nell'albergo di madame c'è un fantasma che la insegue per tutta la casa sghignazzandole dietro e sussurrandole in modo malvagio che tanto non la vorrà mai nessuno, che gli uomini dopo essersela scopata, neanche se la ricordano, perché gli esseri umani amano i vincenti, non quelli che soccombono, come lei, che potrebbe vendere la terra e la casa e diventare ricca e invece non ne vuole sapere. Quando si siede sola su una sedia in camera sua, perché magari in cucina ci sono gli ospiti, con il piatto della minestra in grembo, questo fantasma inizia a darle pappine sulla testa e gliela fa rovesciare e le fa sporcare tutto e madame si mette a pulire in terra e a piangere e al fantasma non sembra vero e inizia a prenderla a calci e, tirandola per i capelli, le mette giú la testa e le fa leccare la minestra dal pavimento. A volte fa anche di peggio e mentre madame inforna il pane, la distrae e lei si brucia, e anche se uno non volesse crederci a queste storie di fantasmi, i segni ci sono, perché per i dispetti del fantasma madame è sempre malconcia, piena di lividi e bruciature.

Anche Pietrino vede cose che gli altri non vedono. Grida come un disco incantato "mammaa mammaa

mammaa babboo babboo babboo!" e a casa sua o non
ci sono, o continuano a fare quello che stanno facendo e per loro è normale che un bambino passi la sua
infanzia a chiamare senza che nessuno gli risponda.
Madame dice che non sanno quello che perdono, perché Pietrino è un bambino molto interessante. Geniale. Ha costruito una piccola zattera, con una tavola di
legno sorretta da quattro salvagente ai lati e un canot-
tino in mezzo e una vela con un vecchio lenzuolo, e
questa zattera galleggia e il bambino sa sempre quale
vento soffierà.

Una volta, non aveva ancora la zattera, ha pescato
un grosso pesce nell'acqua bassa e quando gli hanno
chiesto come era stato possibile, ha risposto che a casa
sua gli dicono sempre che se si desidera tanto qualcosa basta essere buoni e chiederla a Dio. Lui allora ha
chiesto a Dio di fargli pescare almeno una volta un
pesce grande e Dio l'ha ascoltato e glielo ha mandato
verso l'acqua bassa.

Pietrino piange e ha una chierica sulla testa, perché
si strappa i capelli per la disperazione, visto che sta
passando l'infanzia a chiamare chi non gli risponde
mai. A parte Dio, evidentemente.

Nonno se lo porta dietro. "Noi uomini," dice, perché non ne può più di stare sempre solo con le donne.
Perfino il suo migliore amico, madame, è una femmina. Poi, però, quando avrebbe qualche altro maschio
con cui fare amicizia, questo gli sta puntualmente sui

coglioni. Il babbo dei vicini, il ferito, i cybernauti. Invece per il figlio grande e per il figlio piccolo dei vicini stravede. Dice che sono eroici a opporsi al loro modello famigliare e incarnano la diversità necessaria perché il mondo si regga in equilibrio. Se fossimo tutti uguali, il mondo penderebbe solo da una parte e l'universo ne sarebbe sconvolto. Come babbo, nella nostra famiglia troppo per bene. Per lui, nonno stravedeva. Anche nonna Elena, e quando è scappato, dopo mesi in cui si è disperata perché noi avevamo tutte le carte in regola per essere felici e non era giusto quello che ci era successo, alla fine è morta di crepacuore. Lei non voleva neppure sentir parlare delle diversità necessarie per l'equilibrio del mondo, anzi, se nonno tentava di consolarla con questa filosofia, si disperava ancora di piú e le venivano gli attacchi di cuore e bisognava portarla subito al Pronto Soccorso. Inoltre era diventata invidiosa, per esempio della nonna dei vicini quando si vantava della sua famiglia perfetta, dei nove nipoti uno meglio dell'altro – allora il primogenito era ancora un ragazzino e Pietrino un poppante –, della nuora che la chiamava mamma, dei valori sani nei quali credevano, senza allusioni, naturalmente. Cosí nonna Elena si privava anche di quelle quattro chiacchiere e se ne stava rinchiusa in casa pur di non sentire le vanterie della nonna dei vicini e soprattutto i paragoni sottintesi con la nostra, di famiglia, e i nostri, di valori, con quel genero giocatore scappato via. Lei poteva stare soltanto zitta, perché ormai non le rimaneva niente. Niente. Nonno le ricordava che le erano rimaste le sue due figlie e tre belle e brave nipotine e, se non se ne fosse accorta, anche lui, il marito. Ma lei non riusciva a vederci. Diceva che ci avevano fatto una magia nera e qualcuno ci aveva maledetto, perché noi le carte in regola le avevamo per essere felici, molto piú di quella *bidducula maiola, priogu resuscitau*[4] della nonna dei vicini, che mangiava la minestra con il risucchio e che se non avesse sposato chi aveva sposato, pace all'anima sua, sarebbe rimasta una morta di fame, e se non avesse avuto quel figlio che aveva avuto, serio e lavoratore e uomo pio, che alla morte del padre aveva preso in mano l'impresa edile, abbandonando con coscienza i sogni folli di edilizia ecologica, e insomma, se non fosse stato per tutto questo, lei le avrebbe volute sentire, allora, le vanterie.

---

[4] "Paesana rozza, pidocchio resuscitato", nel senso di persona arricchita.

9. Il secondo amante di madame

Nonno nutre un'avversione particolare per il secondo amante di madame, che non le è fedele e ha sempre impegni se è lei a invitarlo e non è lui a decidere. Il fatto è che il suo progetto di vita è sposare una donna giovane, bella, con la quale fare dei figli e formare una famiglia. Nel frattempo fa l'amore con tante donne, fra cui madame, e le rassicura dicendo che usa preservativi di ottima marca. Madame gli vuole bene e lo difende e lo ammira molto per questa sua capacità di vivere nel frattempo e pensa che il secondo amante porti fortuna. Quando compra della biancheria nuova per i letti, gli chiede di fare una magia: lui si deve rotolare sui materassi per portare il sesso felice a chi ci dormirà. Naturalmente, poi, il secondo amante afferra madame e si rotolano insieme. Ha gli orari sfalsati rispetto a lei e quando madame fa colazione il secondo amante è appena andato a dormire. È sempre contento di tutto, della bellezza dei posti, del cibo, delle camicie fresche di bucato, dei libri che lo aspettano la notte sul comodino, delle partite di calcetto. Se non ci sono gli altri, fa tutto da solo ed è felice lo stesso, se ne va a tirare in porta per conto suo e si diverte tantissimo. Nonno dice che una cosa non capisce, se il secondo amante fa tutto da solo ed è cosí felice lo stesso, perché è sempre in cerca di donne? Perché non si fa una sega?

Il fatto è che nonno non sopporta che il secondo amante inviti madame all'ultimo momento e, se la invita per tempo e gli capita qualcosa di meglio da fare, la richiama con voce affannata e le racconta di contrattempi incredibili, guasti alla macchina, amici che chiedono aiuto, impianti che scoppiano, tubi che perdono, case allagate, pentole che prendono fuoco e nonno dice che manca soltanto un rapimento da parte degli extraterrestri. Anche madame ormai fa lo stesso con il secondo amante. Se ha un appuntamento con lui e nel frattempo le telefona il primo amante, inventa delle storie incredibili. Lei il secondo amante lo scusa per tutte le bugie. Ha diritto di realizzare il suo progetto ed è giusto che madame faccia il tappabuchi, che la cerchi quando la donna giovane e bella non c'è e se il secondo amante le dicesse la verità, cioè questa, non sarebbe anche peggio? Non svanirebbe tutta la magia? Non rimarrebbe soltanto un grande spavento?

E poi anche il secondo amante soffre, perché queste donne giovani e belle a volte si comportano male. Ce n'è stata una, non bella, ma bellissima, che una volta ha accettato di uscire con lui per una passeggiata in auto lungo la costa e si è portata dietro un amico. Lei era seduta davanti con il secondo amante che guidava e per gioco si è sollevata la maglietta e ha chiesto ai

due uomini se gli piacevano le sue tette quarta misu-
ra e siccome quello dietro non le vedeva ha iniziato
a toccargliele per darle una risposta e le strizzava i
capezzoli e il secondo amante era eccitato da morire,
ma anche molto triste. Ha fermato la macchina in un
posto isolato. La ragazza ha abbassato il sedile e il ragazzo se l'è presa per primo, perché a lei piaceva che
quello piú vecchio guardasse e si masturbasse. Ma il
secondo amante non ce l'ha fatta a far nulla, perché
l'eccitazione era sparita e anziché guardare e godere, è
uscito dalla macchina e ha vomitato.

10. Ali di babbo

Mamma, da quando babbo se n'è andato, lei non sa che è morto e che mi è apparso con le ali, si è ammalata di quella strana malattia alla schiena che la fa sentire sempre stanca. Nonno le ha sistemato il letto vicino alla finestra della stanza piú luminosa e panoramica. Una volta l'ho visto che piangeva, seduto al tavolo di cucina, con la testa fra le mani.

A nonno, mamma non perdona di non odiare babbo per quello che ha fatto. Di avere una predilezione per tutte le cose e le persone strane. Nonno non si è preoccupato della nostra vergogna, della nostra improvvisa miseria, di essere finiti qui, ai margini del mondo civile. Lui sembra quasi contento della novità. Si annoiava a stare bene.

Nonno dice, ma con allegria, come se parlasse di tutt'altro, che a lui piacciono i cambiamenti e vorrebbe morire perché continuare a vivere sarebbe accumulare ripetizioni. Una noia. Allora madame e io ci arrabbiamo, perché se nonno muore vogliamo morire anche noi e madame dice che se c'è una che deve morire è solo lei. Nessuno la ama e non vende la terra. Ma nonno l'ha convinta del fatto che invece deve assolu-

tamente vivere. Per una ragione molto semplice. Nonostante l'età, madame è come me, una ragazzina di
quattordici anni che non ha ancora vissuto le esperien-
ze di cui molti sono già stufi. Una storia d'amore bella,
per esempio. Una convivenza. Un matrimonio, perché
escluderlo? Un viaggio. Un titolo di studio da privati-
sta, senza andare a scuola. Nonno dice che madame
è "l'uomo nuovo", l'unico tipo umano che potrà so-
pravvivere a questa catastrofe in atto, perché sa distin-
guere la cianfrusaglia da ciò che nella vita è davvero
importante. Madame deve salvare questa terra da chi
vorrebbe farci i villaggi turistici, gente capace di ap-
prezzare solo i soldi. E la salverà senza violenza. Con la
sua gentile determinazione. Perché è questa l'arma del
futuro. E il futuro è di madame.

Lei diventa orgogliosa di essere questo "uomo del
futuro", soltanto che allora nonno non deve morire.
Lei senza nonno non ce la fa a essere l'uomo nuovo.

11. La Ville lumière

Madame, solo all'idea di andare a Parigi, si sente piú raffinata e al corso di francese ha imparato ad arrotare la *r*. Dice che Parigi, dopo questo nostro posto, sarà sicuramente il luogo al mondo che le piacerà di piú. Magari porterà anche me.

Frequentava in città due volte alla settimana la lezione di francese, ma madame non ha mai tollerato la scuola. Le mette l'ansia. Non si ricorda piú niente anche se ha studiato e prima di entrare le tremano le ginocchia e il cuore le rimbomba dentro il torace. Per farsi coraggio prendeva l'autobus con noi studenti, all'alba, perché guidare le sarebbe stato impossibile, con tutta quella tremarella. Quando era il momento di salire si voltava... "la mia casa," diceva quasi in lacrime.

Spesso alla fermata ci accompagnava nonno, che la sorreggeva sino alla fine con le sue battute e per prenderla in giro le recitava i famosi versi di Rilke: "Chi ci ha dunque voltati che / in qualunque cosa intenti, siamo disposti / come uno che parte? Come quello, sull'ultima / collina che gli mostra per una volta ancora / tutta la sua valle, s'arresta, si volge indietro, indugia / cosí viviamo, dicendo continuamente addio".

Poi una mattina, mentre lei già saliva sull'autobus in preda al panico, nonno le ha dato uno strattone e l'ha tirata giú: "Cazzo, adesso basta con questa minchiata della madame francese!"

Da quel giorno, dal momento che madame è amica di molti ragazzi senegalesi che parlano il francese benissimo, i soldi delle lezioni li dà a uno di loro, Abdou, e fanno l'unica scuola che secondo nonno è adatta per gli studenti difficili, quella itinerante, all'aperto, *avec joie, en plein soleil*, con le onde in sottofondo al verbo essere *Je suis Tu es Il Elle est.* Dalla statale, madame e il nuovo professore prendono la mulattiera che scende al mare e alle cose danno i nomi in francese. La mulattiera è tracciata sulla roccia di granito, a tratti è coperta da *terre et pierres*, tonde e aguzze, *rouges, noires, orange* e mischiate tutte insieme fanno l'effetto di una strada rosa e proprio in mezzo ci crescono gli asfodeli e sul ciglio il cisto e i lentischi, che in autunno si riempiono di bacche rosse, e i ginepri, sempre uno forte, potente e tanti altri attorno, piú bassi, carichi di bacche *violettes*. Qua e là gli *oliviers*, di quel bel *vert argent*. Anche Abdou è contento e si capisce che dà le lezioni a madame con piacere e non soltanto per i soldi. Le ha detto che lui ha sempre tante preoccupazioni che non si era mai accorto di essere arrivato in un posto *fabuleux* e gli dispiace quando non conosce le parole che cerca madame. Perché chi aveva mai pensato al mare che cambia colore secondo le stagioni e quando c'è il sole è come spennellato di un turchese a cui sia stata aggiunta una punta di verde e piú lontano invece è zaffiro e piú lontano ancora blu notte e attorno agli scogli piú bassi celeste neonato? E alle rocce di Serpentara e ai Varaglioni, che brillano in questa immensità di azzurri e quando invece c'è lo scirocco diventano color cenere e l'isoletta spunta fra le nuvole? E alle onde, che quando coprono le pietre della spiaggia e se le riporta via la risacca, sono l'unica cosa che si sente in questo grande *silence*, oppure si infrangono con una tale forza da immergere ogni cosa nel vapore, un gigantesco aerosol naturale, e forse per questo la macchia cede il posto al prato verde e diciamo che si va in Irlanda? E a noi, che spesso facciamo il gioco di stringere gli occhi per costruire una cornice e vengono fuori fotografie diverse del Mediterraneo, e se siamo fortunati, delfini che saltano e sono contenti di niente, soltanto di quel loro saltare?

Chi mai aveva pensato a queste cose, dice Abdou, con le umiliazioni e la fame e la *nostalgie*. Gli alberi, per esempio, erano soltanto una cosa verde che dà i frutti.

Secondo la nonna dei vicini non sta bene che madame se ne vada in giro con questo *nieddeddu*[5] e quando lei e il nuovo prof passano a salutare i vicini, loro non li fanno mai entrare in casa, rimangono sulla soglia, a chiacchierare, gentili e affabili, ma mai che dicano: "Venite dentro!" o "Volete favorire?"

[5] "Negretto".

12. La felicità dei vicini

Una volta madame ha confidato alla mamma dei vicini che vuole morire perché si sente infelice e inutile. La signora l'ha consolata dicendole che nessuno su questa terra è inutile, neppure l'animale piú schifoso e quando anche a lei prende cosí, pensa a San Paolo quando dice: "Signore, tienimi quaggiú finché tu ritieni che serva a qualcosa".

Finché il Signore ci tiene, vuol dire che c'è una ragione. E poi non siamo quaggiú per essere felici, ma per una ragione che sa soltanto Dio. Bisogna vivere e basta e prendere quello che viene. Intestardirsi con la felicità è superbia e ingratitudine.

Anch'io prego spesso babbo di venire a prendermi per portarmi lassú dove è lui. A volte sono cosí stanca delle mie preoccupazioni, della paura di tutte le cose brutte che possono succedere ancora, ma ripenso alle parole della mamma dei vicini, e soprattutto a quelle di San Paolo, e me ne pento subito e mi convinco che se babbo non viene a prendermi è perché sono utile qui.

Nonno invece i vicini non li sopporta. Quel loro fare figli e curarli in generale e non in particolare. Quel loro "fai una preghiera!" sempre in bocca. Quel modo dei genitori di prendersi per mano davanti alla gente. Se si amano tanto, perché non se lo tengono per loro? O la Messa la domenica, imperdibile anche se in casa c'è qualcuno con la febbre a quaranta, perché altrimenti si va all'inferno, metà famiglia nella macchina di mammina e metà in quella di babbino.

"Guardate come Dio ci vuole bene. È perché siamo bravi".

I vicini piacciono a tutti tranne che a nonno. Gli danno il voltastomaco e salva soltanto il Jazzista e Pietrino, che a modo loro sono davvero degli eroi.

Pensandoci bene, neppure a me piacerebbe essere figlia dei vicini, soprattutto per il cibo e il vestiario. Per esempio, io ho paura dei pomodori, neppure in questo mio diario riesco a dire perché. A casa stanno attenti e nessuno mangia mai un pomodoro in mia presenza e anche madame, nonostante siano il suo capolavoro, li tiene in un cesto sempre coperto da cui sto alla larga.

Alla mia sorellina piccola fa impressione trovare i pezzi di verdura nella minestra e allora per lei si fa il passato. Zia deve studiare Leibniz e *il miglior mondo possibile* e non ha mai tempo di dare una mano in casa e ci si passa sopra. Nella famiglia dei vicini invece ciascuno ha dei doveri precisi, un posto nell'esercito e per il cibo, se c'è pastasciutta c'è pastasciutta e se a uno non piace, pazienza, non mangia.

Pietrino non tollera il latte e non c'è mattino di questa sua ancor breve vita in cui non gli venga messo

davanti il caffelatte con i biscotti. Allora lui sta davanti
alla tazza piena fino all'orlo.

"Perché non bevi il latte?" "È troppo profondo".

Mai una volta che gli facciano il tè. A Pietrino piace il tè con il pane e quando viene a giocare con la
mia sorellina ne fa scorpacciate. Noi giriamo la faccia
dall'altra parte e il tè con il pane lo troviamo rivoltan-
te, però glielo offriamo lo stesso. Ho detto questo alla
mamma dei vicini e lei ha risposto: "Davvero?" Ma i
giorni seguenti il bambino aveva davanti la solita tazza
piena fino all'orlo di latte e biscotti.

Per i vestiti è uguale. Certo nove figli, mi viene in
mente che il nove è il numero della solitudine, non si
possono portare in città a scegliere cosa mettersi addosso, ma almeno una volta, a due a due, le stagioni
sono quattro, già sarebbero otto che almeno una volta
all'anno sceglierebbero, contando che il trombettista
jazz vive a Parigi e in ogni caso non pensa certo agli
abiti, ma soltanto agli spartiti e ai cd.

Nella mia famiglia, noi femmine facciamo invece i
capricci, e soldi ormai ce ne sono pochi e quando ci la-
mentiamo troppo perché non ci piacciono le scarpe o
un vestito, allora nonno li butta nella spazzatura, cosí
impariamo la teoria del meglio di niente.

Comunque io adesso sono a posto perché gli abiti me
li cuce madame, che fra i tanti mestieri, pur di non andare a scuola, ha fatto anche la sarta. Negli armadi di
madame, la bisnonna, la nonna e la mamma hanno la-

sciato cataste di coperte, tovaglie, bisacce, tappeti, asciugamani, copriletto fatti al telaio che nessuno dei figli ha voluto e da cui madame ricava vestiti per lei, per me e per zia quando ha finito i soldi delle borse di studio.

Con le bisacce fa dei tubini, eleganti se hanno gli inserti di velluto o di seta e nastri, per la stagione fredda se l'ordito e la trama sono in lana, per l'estate se si tratta di lino o cotone. Con le coperte fa i soprabiti e i cappotti. Bellissimi quelli a motivi geometrici a banda continua, o a zig zag, o a spina. Il problema sono i colori, viola, rosso, celeste, verde, che secondo me non vanno tanto bene per i capi invernali. Meglio quando si tratta di stoffe a tinta unita e a *pibionis*[6].

Nonno dice che i modelli di madame sembrano da bambola, sovietica però, trovata fra le macerie dopo la battaglia di Stalingrado. Ma almeno non siamo dozzinali. Non se ne può piú di questa gente che compra, compra perché non ha altri piaceri nella vita e la miglior rivoluzione sarebbe smettere di comprare e farci tutti i vestiti con le tovaglie e le lenzuola vecchie.

L'entusiasmo di nonno ha trascinato madame, che gli ha fatto delle babbucce con i pezzetti di stoffa avanzati dai nostri vestiti e un bel pigiama a righe con un vecchio telo per il pane. Nonno li ha molto apprezzati e quando torna a casa dice: "Adesso mi metto comodo con le mie pantofole da pagliaccio e il mio pigiama da deportato".

[6] Tessuto realizzato con la tecnica ad acini o a grano.

13. L'albergo di madame

Gli ospiti nella casa di madame non possono essere piú di otto e ora che sta finendo l'estate c'è soltanto il ferito.

Nella spiaggia piccola circondata dalle rocce, il ferito prendeva il sole. Madame lo aveva portato come sempre con il calesse tirato da Amélie e aiutato a sedersi sulla sedia a braccioli e gli aveva messo, sotto la gamba ingessata, uno sgabello che affondava nella sabbia quel tanto da farlo stare comodo. Poi, non so perché si sia comportata in questo modo, si è tolta il reggipetto e ha iniziato a spalmare la crema protettiva sulle spalle del ferito, che è bianco bianco, sulla gamba senza ingessatura, sino all'inguine e sul torace, sul collo. Vicina vicina, come se volesse allattarlo con le sue tette cosí grandi, che sembravano piene di latte. Il ferito ha cominciato a succhiare da una tetta e poi dall'altra. Travolto dalla fame. Poi madame si è allontanata e ha spostato le mutandine del costume da bagno aprendosi tutta per mostrargli l'intimità che il ferito ha iniziato ad accarezzare con la mano sana e sempre con lo stesso braccio l'ha attirata verso di sé facendola sedere sul suo grembo. Madame si muoveva sopra di lui e continuava ad allattarlo sino a che non hanno urlato. Poi madame si è stesa ai suoi piedi e il ferito le accarezzava teneramente la testa come a una bambina.

Sentivo solo il rumore del mare e del mio respiro e mi chiedevo come sia possibile che il ferito non ami madame e ami invece tanto La Gioia.

14. La famiglia di madame

Madame dice di essere l'avanzo o il rifiuto o la scoria, e comunque l'ultima figlia di una famiglia numerosa, ordinata, seria e molto ricca. I fratelli e le sorelle hanno studiato con successo, si sono sposati con altrettanto successo e possono, secondo madame, camminare a testa alta. Quando da piccoli giocavano a nascondino nessuno la trovava mai e lei vinceva sempre perché si nascondeva nei bidoni della spazzatura, o dove avevano cagato gli animali, o vicino alle vespe, e insomma nei posti in cui nessuno avrebbe avuto lo stomaco di cercarla.

Eppure in quei posti schifosi si sentiva meglio che a scuola. Aveva paura della sua maestra e la notte sognava di essere in un campo pieno di maestre che la interrogavano e la umiliavano facendole leccare la terra e le mettevano le manette ai polsi e alle caviglie perché non si difendesse mentre la prendevano a calci e la bruciavano con i fiammiferi e le dicevano "demente" e "strega" perché avevano saputo che credeva alle magie. Andando a scuola si fermava piú volte e si sedeva sconsolata sul marciapiede con la cartella in grembo, i quaderni pieni di compiti non finiti dove la maestra avrebbe messo la "V" di "Visto" e un punto interrogativo a cui madame non riusciva a dare risposta. Da ragazza, il problema della scuola era diventato più grave e poi si era aggiunto quello dei fidanzati, che si mettevano con lei, ma la lasciavano e li incontrava poi abbracciati alle altre e facevano finta di non vederla. E a questo non sapeva dare risposta. E anche tutta la vita dopo era stata uguale, per la scuola, per gli uomini, un punto interrogativo. Soltanto che madame aveva ereditato, anziché un bidone di spazzatura e letame, questo posto lapislazzuli, profumato di salsedine e ginepro, dove nascondersi. I fratelli e le sorelle avevano venduto la loro parte ai costruttori dei villaggi turistici e così si aspettavano da lei.

Invece madame, senza un titolo di studio, era venuta sulla costa a lavorare negli hotel, dove aveva imparato a pulire e rifare le stanze, servire in tavola, cucinare, cucire, ma anche nuotare per salvare i turisti e andare a cavallo e fare la guida nei sentieri per i posti nascosti e meno accessibili. I vicini hanno saputo dai costruttori che quando lavorava in hotel faceva anche la puttana, non per soldi, semplicemente si dava a tutti e nei modi in cui loro volevano. Io ne ho parlato una volta a casa e nonno mi ha mollato un ceffone e ha detto che madame ha il suo modo per sconfiggere la morte, ma questa è una cosa troppo difficile da capire per chi non è alla sua altezza.

Adesso sono sette anni che si è trasferita qui. Con

nonno si conoscevano perché venivano a controllare la terra. Nonno ci raccontava di una donna bellissima e selvaggia con i capelli lunghi, neri e ricci e un corpo da Venere o Diana e gli occhi gialli liquidi, da tigre che non vuole mangiare nessuno, però matta, perché preferiva fare la serva negli hotel piuttosto che vendere la terra e diventare ricca. Ma nonno è cambiato molto da allora. Adesso non dice piú che madame è matta, ma neppure che è bella. Anzi. Se qualcuno degli ospiti la corteggia, dice che qui non c'è talmente nessuno, solo mare e macchia e cielo e rocce, che gli ospiti prendono per donna perfino madame. E se parla per sé dice "il mio migliore amico," alludendo al fatto che lei per lui non è una femmina. Inoltre, per nonno, madame non è madame, ma *sa tzia*, che vuol dire la zia, soltanto che da noi essere chiamata, soprattutto da un uomo, *sa tzia*, senza legame di sangue, significa che per quell'uomo una è contro la tentazione sessuale.

Durante una cena fatta da madame perché conoscessimo meglio il ferito, nonno l'ha presa in giro nel solito modo chiamandola *sa tzia*. Poi, a un certo punto, c'era anche mia zia, è nata una discussione sulla religione e nonno ha detto che lí l'unica credente, non essendoci mamma, né uno dei vicini, era madame e le ha chiesto di spiegare perché crede. Madame era contenta della considerazione e si è messa a dire che a lei non importa che Gesú sia o non sia Dio, lei gli vuole bene e ha letto e riletto il Vangelo e trova che abbia ragione in tutto. Inoltre, a proposito di Dio Padre, pensa che abbia fatto un mondo perfetto, meraviglioso, ma che poi se ne sia andato. Piú che andato via, forse è dappertutto. "Ma questo è Leibniz! Non è il pensiero cristiano!" incalzavano, "Ma tu sei un'eretica!" "Lo sai quanti sono finiti al rogo con le tue idee?" "Sei panteista, animista, non cristiana!" Zia e nonno non sono mai d'accordo su niente tranne quando si devono alleare contro qualcuno e schiacciarlo con ferocia a forza di filosofia. Madame quasi piangeva e si vedeva che soffriva nel non riuscire a difendere la sua religione. Il ferito si è scandalizzato e ha detto a nonno che si stava comportando con madame in modo abominevole. Nonno gli ha risposto di ringraziare il fatto che è ferito e che ha un braccio e una gamba ingessati, altrimenti glielo avrebbe insegnato lui, là fuori in cortile, a farsi i cazzi propri. Poi non ne ha piú voluto sapere di incontrare il ferito e dice che se c'è una testa di cazzo nelle vicinanze, quella sicuramente piace a madame, che poi si chiede perché le vanno male tutti gli amori. Amori. Li chiama amori. *Sa tzia.*

Comunque il giorno dopo madame è andata dai vicini e ha raccontato alla mamma il discorso e si è rasserenata nel sentire delle cose su Dio molto semplici, soprattutto sul Suo perdono quando sbagliamo in buona fede. Ma la mamma dei vicini le ha spiegato che proprio ciò che appare piú semplice è in realtà difficilissimo da capire davvero e bisogna crederci e basta.

15. La Fortuna

Vorrei che babbo mi dicesse cosa è giusto e cosa è sbagliato, ma secondo me non lo sa neppure ora che è lassú. Lui era stregato dalla Fortuna. Diceva che è davvero una ruota e prima o poi gira. Basta resistere. In fondo, dei soldi non gliene fregava niente, tanto che se qualcuno con lui perdeva al gioco ed era nei guai e lo incontrava, cambiava strada babbo, per non metterlo in imbarazzo, e non il debitore. Questa ossessione della Fortuna l'aveva per tutte le cose della vita. Diceva che quelli che si suicidano fanno male a non aspettare, perché tanto la ruota girerà di nuovo a loro favore. A proposito di zia, che allora stava già cercando lavoro senza trovarlo, era sicuro che Leibniz le avrebbe portato fortuna, prima o poi, e anche per lei si trattava soltanto di aspettare che la ruota girasse. Per saldare i debiti di gioco di babbo, e visto che di creditori che cambiavano strada per non imbarazzarlo non ce n'erano, nonno ha venduto le case e i terreni. Poi una mattina, la colazione pronta con la torta, i bricchi del latte e del caffè, babbo non è venuto a tavola perché se n'era andato.

Allora ho capito che sin da piccolissima avevo dentro

tutta quell'ansia, perché me lo sentivo che qualcosa di brutto sarebbe successo. Aspettavo sempre accucciata dietro la porta chiunque della mia famiglia tardasse a tornare e non mangiavo e non dormivo finché non c'eravamo tutti. Allora sí che era bello, almeno per qualche ora. Me ne andavo a giocare e a fare i compiti per conto mio, tranquilla. Il mondo non era cascato e si poteva provare il piacere di vivere. Finché c'eravamo tutti non sarebbe cascato. Perché i distacchi proprio non li sopportavo e mi attaccavo piangendo alle gonne di mamma e di zia, o ai calzoni di nonno o di babbo, se dovevano assentarsi a lungo, e non era la paura di restare sola, ma il terrore che gli succedesse qualcosa. Non mi capivano e mi sgridavano: "Quando ci siamo te ne stai in camera tua e se ti chiamiamo non rispondi e poi fai tutte queste scene appena qualcuno mette il naso fuori".

Invece babbo mi rassicurava e mi consigliava delle piccole magie perché a nessuno succedesse niente. Quando il cuore mi batteva molto forte e mi faceva male, dovevo concentrarmi sul bene che volevo ai miei cari e immaginare che gli stavano accadendo tante cose belle e questo li avrebbe salvati dai pericoli. La forza della mia immaginazione avrebbe fatto girare nel verso giusto la ruota della Fortuna.

Nonno, per questo mio terrore dei pericoli, mi chiama dottor Bertolaso, che è il capo della Protezione Civile. Mi prende in giro perché sin da piccola, prima di dormire, chiedevo come avremmo fatto a scappare se la nostra casa si fosse incendiata e se fosse costruita tanto bene da non crollare per un terremoto o una fuga di gas. Nonno, e anche babbo, mi rassicuravano con il fatto che in Sardegna non può esserci un terremoto perché è dell'Era Primaria, e in quanto alla fuga di gas, eravamo tutti attenti e chiudevamo bene la bombola.

Secondo nonno, il dottor Bertolaso, una volta pianificato tutto, dorme tranquillo, invece io non ho mai pace. Una volta, babbo se n'era già andato, mi ha detto: "Perché non scrivi un diario? Butta le tue paure sulla carta, vedrai che cosí se ne vanno. Anzi, perché non ti eserciti a inventare qualcosa di bello? 'Le piú grandi avventure,' dice un filosofo, 'capitano a chi prima se le sa raccontare'".

Da allora io tengo il diario e non racconto mai le cose come vanno veramente, ma come spero che vadano. Questo mi ha tranquillizzato e anche guarito dalla stitichezza, perché da piccola tenevo sempre le mie paure tutte dentro e forse si trasformavano in tanta cacca che se ne stava lí, bloccata. Da quando ho iniziato a scrivere e scrivo i miei incubi, vado in bagno regolarmente.

Zia dice che secondo il grande saggista e critico Walter Benjamin, quando io scrivo, faccio una cosa importantissima. In questo senso. Un tempo, quando c'era solo la natura senza l'uomo, il mondo era in perfetta armonia con Dio, ogni creatura era naturalmente consapevole del proprio senso e faceva quello che doveva fare, per esempio gli alberi davano i frutti e cose del genere. Quando è comparso, l'uomo ha iniziato a dare i nomi alle cose, privandole di quel senso. Se noi chiamiamo albero un albero, subito pensiamo soltanto ai frutti, e questo è limitativo. Gli scrittori come me, dice zia, salvano le creature da questi limiti. Il poeta cerca le parole per ridare all'albero quel senso perduto.

Ho davvero capito il pensiero del grande Walter Benjamin quando ho avuto una breve storia con un ragazzo della mia scuola.

Mi piaceva molto e gli ero grata, perché nonostante io abbia un fisico da ragazza ancora senza le mestruazioni, mi aveva notato. All'uscita dalla scuola stavo con lui e prendevo la corriera piú tardi, soltanto che dopo i baci e le altre cose, che erano bellissime, un po' mi annoiavo e speravo sempre che non stesse con me proprio sino all'arrivo della corriera, ma che avesse da fare, cosí da potermene stare da sola seduta alla stazione a pensare. Per questo sentivo una grande colpa e soffrivo molto. Poi mi è venuto in mente il filosofo Benjamin e ho capito che con quel ragazzo non poteva continuare, perché per lui un albero era soltanto un albero, mentre io stavo sempre lí a pensare a tutte le parole che si dovevano usare per ridargli quel suo senso perduto. E non potrò mai dimenticare lo sguardo triste e perso del ragazzo mentre cercavo di spiegargli perché lo stavo lasciando e la sua tristezza era anche la mia. Soltanto che non potevamo farci niente. Per consolarmi ho pensato che magari, da qualche parte sulla terra, c'era un ragazzo che cercava le parole per ridare quel senso all'albero, come me. Ma soltanto una magia, la Fortuna, il Dio dei vicini, o le ali di babbo potevano farci incontrare.

16. L'amore

L'amante di madame nessuno di noi l'ha mai visto, perché qui non viene ed è lei che va a trovarlo in città quando lui la invita. Madame non sa quando questo invito arriverà e aspetta che il cellulare squilli. Allora gli porta la frutta, la verdura e spera che magari l'amante cucini queste cose buone per lei e se le gustino insieme, invece lui non le offre mai nulla. Né mai le fa un regalo. Madame dice che non ci pensa. Che è fatto cosí. A volte, quando le provviste portate da madame sono troppe, organizza delle cene con i parenti o gli amici, ma lei non la invita mai. Forse si vergogna di presentarla e madame pensa che in fondo lui abbia ragione, ignorante e insignificante e vecchia com'è.

La ex moglie dell'amante, invece, dice che è un problema degli uomini sardi. Non sanno corteggiare, essere gentili. Perfino i giornali hanno parlato del fatto che in Sardegna, a Cagliari in particolare, c'è la piú alta densità di femmine sole d'Italia e d'Europa e forse del mondo. La ex moglie dell'amante dice che il ferito sí che sa stare con una donna, e infatti è un continentale. Dice che la piú grande fortuna di madame è averlo come ospite. Peccato che c'è La Gioia. Ma La Gioia è lontana e chissà per quanto il ferito sarà ferito.

Il ferito racconta che al Nord anche le donne di settant'anni hanno il *moroso* e lui tante donne sole come qui non le ha mai viste. Madame lo ha riferito alla nonna dei vicini che le vedove, là al Nord, hanno tutte il *moroso* e la nonna dei vicini ha risposto che allora devono essere pazze, oppure è il ferito che conosce soltanto vecchie matte, o *egue*[7].

Affinché il suo amante la ami, madame fa delle magie.

Un giorno la nonna dei vicini è stata a un matrimonio e ha ricevuto proprio sulla testa il bouquet lanciato dalla sposa. È arrivata con questo mazzo di fiori e l'ha regalato a madame. Allora lei, pensando a una magia, ma non essendo in possesso neppure di un oggetto del suo amante, ogni volta che va da colui che spera sarà l'uomo della sua vita, raccatta qualcosa, magari presa dalla spazzatura, scontrini del supermercato, un tappo di dentifricio abbandonato sul lavandino, un fazzolettino di carta caduto per terra e cose del genere. Poi, ognuna di queste cose la lega con uno spaghetto a un fiore del bouquet, insieme a un petalo delle rose di Santa Rita, la santa dell'impossibile, che le ha regalato la mamma dei vicini, e la nasconde nel cassetto della biancheria intima, esattamente nel terzo del comò, il piacere, in prossimità della quattordicesima mattonella del pavimento, il legame, sotto l'ottava mutandina, la perfezione.

[7] "Cavalle", figurato: puttane.

Ma le magie non possono essere sempre cosí elaborate e a lunga scadenza. Spesso madame fa piccole magie, che riguardano, però, il secondo amante. Magari lui è stato a cena da madame e ha portato il vino, o lo spumante, o anche lo champagne e lei conserva il tappo della bottiglia che deve agire soltanto affinché ci sia un'altra bella serata, un'altra notte di sesso in cui il secondo amante le verserà addosso lo spumante e glielo succhierà ubriacandosi di lei e chiamandola: "La mia puttana. Soltanto mia". E le piccole magie, tipo questa del tappo e della bottiglia, sono proprio quelle che funzionano.

Il secondo amante, nei periodi in cui non ha una giovane, è molto assiduo con madame. Ha acquistato alla periferia di Cagliari un appartamentino in un palazzone che ancora non hanno finito di costruire e viene spesso con il progetto e fa vedere a madame i posti macchina e i vani degli ascensori e le spiega l'apertura automatica del cancello. Il secondo amante viene spesso con il progetto e madame non glielo dimostra, ma prova per lui una gran pena, come per tutti quei poveretti condannati a vivere davanti alle auto che passano, imbottigliati nel cemento, perché quella non è vita. Allora, dopo il finto entusiasmo per il progetto della casa del secondo amante, gli dice: "È proprio bellissima la tua futura casa. Ma tu non devi preoccuparti, perché qualunque cosa succeda, anche se ti sposerai e non avrai piú tempo per me in un certo senso, ci siamo capiti, potrai venire qui a prendere un po' d'aria buona e a farti una bella nuotata. Io ti lascerò sempre una stanza libera".

Madame, adesso che c'è il ferito, trascura con il pensiero sia il suo primo amante, sia il secondo. Non fa piú tutti quei suoi riti magici perché telefonino: "Se riesco ad arrivare al promontorio senza mai fermarmi telefonerà, se faccio il bagno nell'acqua gelata, se stasera cambia vento, se faccio tutta la mulattiera sino al mare su un piede".

Gli amanti, anche se non sanno niente del ferito, sembra abbiano afferrato qualcosa nell'aria, perché non la chiamano piú. Lei, però, ogni volta che ci pensa, sente il vuoto al posto del cuore. Perché la sua idea di felicità non è in Continente, dove sicuramente la porterà il ferito, ma qui.

Madame non tiene nulla per sé, nemmeno il tempo. È sempre disponibile. Non la capisco. Se gli altri si prendessero tutto il mio tempo li odierei o diventerei matta. Quando semplicemente sto pensando ai fatti miei e sento che mi chiamano, non rispondo.

A volte madame, per la mancanza d'amore, si sveglia nel cuore della notte, allora si ricorda che è sola e le sembra di soffocare, va a bere un bicchiere d'acqua, ma l'amore che non c'è le toglie l'aria.

Ha paura di quando sarà vecchia, eppure un modo per avere l'amore anche da vecchia ci sarà. Qualche magia. Adesso però, che c'è il ferito, sta bene. Il ferito dorme nel letto con lei e le legge tutte le notti ad alta voce il capitolo di un romanzo e questo a lei piace tantissimo. Ma se deve proprio godersi un libro, allora se lo va a riprendere e lo legge per conto suo in un altro momento.

Madame fa le faccende di casa con una maglietta troppo corta per i tanti lavaggi e dei calzoncini che le stanno larghi come una gonna perché ormai slabbrati. Con gli altri ospiti è sempre corretta, attenta a non farsi vedere cosí, invece con il ferito sembra farlo apposta. Se lui è nel porticato a leggere, lei si arrampica sempre a prendere qualcosa, la maglia le si solleva e mostra le tette scandalose e senza reggipetto. Oppure si curva per i lavori in giardino e il culo e la fica si vedono benissimo attraverso i calzoncini corti e slabbrati.

Una volta loro pensavano che io non ci fossi e invece sono entrata in casa con le mie chiavi e dalla finestra ho visto madame coricata sul pavimento di cotto nel porticato. Ha tirato su la maglietta e ha scostato i calzoncini slabbrati iniziando a toccarsi mentre il ferito la fotografava.

Un'altra volta mi sono messa dietro la finestra e li ho visti seduti a tavola. Poi, secondo me, il ferito ha chiesto a madame di spogliarsi, perché lei faceva no con la testa e rideva. Si è sbottonata la camicetta e il reggipetto, che si slacciava sul davanti, e ha continuato a fare no con la testa, ma a sollevare le tette come per mostrare della frutta su un vassoio. Il ferito continuava a parlare e madame, sempre facendo no con la testa e ridendo, si è alzata ed è andata a sedersi sulla tavola proprio di fronte a lui. Il ferito ha allontanato il piatto e lei si è stesa, si è tolta le mutandine e ha allargato le gambe. Lui prendeva dal vassoio delle zucchine crude e gliele infilava proprio lí e dopo il gioco delle zucchine le metteva la testa fra le cosce e sembrava insaziabile.

Ma a volte li trovo che chiacchierano, o che il ferito le sta leggendo qualche libro e allora tranquillamente mi manifesto e il ferito mi fa domande sulla scuola e su come sta la mia famiglia.

Madame, che naturalmente non sa quello che ho visto, mi ha confidato che il ferito le ha detto di non aver mai avuto in vita sua emozioni cosí forti, di non essere mai stato in un posto cosí bello e cosí felice. Dice anche che il primo e il secondo amante di madame, lui proprio non li capisce per come si comportano, perché una come madame è da non perdere.

17. L'esercito dei vicini

Quando arriva la nonna, tutto nella casa dei vicini deve essere perfettamente in ordine. La cameretta sotto il tetto linda e profumata, naturalmente di detersivi e non di macchia mediterranea. Gli orari del pranzo e della cena regolari. La fila per lavarsi le mani. La preghiera di ringraziamento. Non si mangia se non inizia la nonna, non si parla se non inizia la nonna. Ma in realtà il problema dell'ordine non esiste. La famiglia dei vicini è organizzata come un esercito in cui il Generale d'Armata è la nonna, la proprietaria della terra e della casa, il Generale di Corpo d'Armata è il babbo e la mamma è il Generale di Divisione. Il figlio piú alto in grado dovrebbe essere il musicista jazz, ma non c'è o se c'è non fa il suo dovere, quindi manca il Generale di Brigata. Il reggimento è costituito dalle quattro femmine e la maggiore fa da Tenente Colonnello. Ci sono poi un Maggiore di Battaglione, un Capitano di Compagnia, un Tenente di Plotone e infine Pietrino, che è un Caporale di Squadra senza squadra, perché è l'ultimo e non ha nessuno a cui dare ordini. Il piccolo esercito dei vicini non ha bisogno di istruzioni. Ognuno sa benissimo quello che deve fare durante la giornata. Le istruzioni riguardano soltanto ciò che si deve dire o non dire alla nonna del nipote a Parigi. Ci si scusa con Dio per le bugie: il ragazzo è all'università, alla Sorbona, a Ingegneria edile, e non importa se alla Sorbona fanno solo materie umanistiche, la nonna non lo sa e la Sorbona è di grande effetto. Fa Ingegneria come suo padre e la buonanima del nonno. Ha una stanza in un collegio di preti, pagata con i concertini che il ragazzo fa per raggranellare i soldini. E si sta attenti, se si parla di musica, a usare i diminutivi, per non spaventare la nonna, che chiede allarmata: "Non è che perde tempo con quella sua mania di suonare la tromba?"

"Per carità, la musica non toglie nulla allo studio e gli esami sono perfettamente regolari".

Allora la nonna si rilassa e fa un lungo elenco dei successi negli studi ottenuti dai nipoti delle amiche. Ma fra breve la laurea la prenderà anche il suo, di nipote, in Ingegneria, come l'amato marito e il suo diletto figlio. Nell'impresa lo aspettano. Il babbo non ce la fa piú a reggere tutto il lavoro e vorrebbe dedicarsi, almeno in vecchiaia, a quello che è il suo sogno, l'edilizia ecologica.

Se l'impresa e la pagnotta sono al sicuro nelle mani del primogenito, dopo nove figli e trent'anni di sacrifici uno se lo può permettere di togliersi un gusto. Soltanto che, quando sarà nell'impresa, il nipote dovrà vestirsi bene e tenere a mente tutto e non essere cosí distratto e sciatto. Adesso, sempre immerso nello studio all'università, è perdonato, ma in futuro...

I vicini cercano di spostare l'attenzione della nonna sugli altri figli, le fanno vedere i quaderni e le pagelle del Tenente Colonnello e della Brigata delle femmine, le medaglie nei tornei sportivi scolastici del Maggiore, del Capitano e del Tenente di Plotone, ma lei fa un giro e torna lí, al musicista di Parigi, che crede studente di Ingegneria edile e prossimo titolare dell'impresa di famiglia.

Il Generale di Corpo d'Armata, babbo dei vicini, non comanda niente, stretto com'è fra il potere della madre, il Generale d'Armata, e della moglie, il Generale di Divisione. Di lui non parlano mai, se non per ripetere quanto lavora e quanto ama la famiglia. Se si invitano i vicini è inutile chiederlo a lui e ugualmente, se sono loro a ospitarci, il babbo arriva, trova la tavola imbandita e non ne sapeva niente. Ma è contento lo stesso e gli va bene tutto quello che decidono la madre e la moglie. Nonno questo non lo sopporta e si ostina invece a interpellarlo, ma il babbo dei vicini gli darà una risposta soltanto dopo aver consultato i Generali piú potenti. Inoltre sta sempre zitto e ha sempre tanto sonno, perché lavora troppo e mentre tutti si divertono gli casca la testa sul petto, poi si scusa e va a dormire. Forse un tempo era diverso. Sappiamo che suonava la tastiera in un complesso e si esercitava ore e ore chiuso in camera sua, con la sordina, anziché studiare, ma quando i genitori lo hanno scoperto si sono imposti e l'hanno raddrizzato, la tastiera è diventata una faccenda della domenica e tutto è andato per il meglio. Nel senso che si è dedicato allo studio e ha trovato una brava ragazza, l'attuale moglie, cattolica fondamentalista, che faceva parte di un gruppo religioso in cui non si potevano tenere i segreti e alla fine di ogni giornata ognuno doveva mettersi in mezzo a una sala e raccontare come si sentiva e i suoi problemi erano i problemi di tutti e spettava a tutti risolverli. Poi sono arrivati i figli, otto, e i vicini non erano abbastanza ricchi da poter vivere in città e neppure in paese. Allora sono venuti qui, la moglie incinta di Pietrino. Il babbo dei vicini era felice, perché, oltre alla tastiera, amava il mare e l'edilizia ecologica e pensava di costruirsi una casa a modo suo e di cavalcare le onde. Ma il Generale d'Armata e il Generale di Divisione trovavano le case ecologiche brutte e per quanto riguarda il mare, con tanti bambini è troppo pericoloso e allora ci si può andare solo con l'esercito al completo. I piú alti in grado si schierano e fanno da boe di salvataggio, cosí i piú piccoli nuotano al sicuro come in una piscina. Tranne Pietrino, ma nessuno si accorge mai di lui.

Di quell'amore giovanile è rimasto il bamboleggiare della moglie con il marito. Quando si rivolge a lui, il Generale di Divisione parla come una bambina piccola: "*Cappivo! Cappivo! Blutto blutto maritino a non pottare moie a cinema mai mai!*" Noi capiamo che nonno ha incontrato i vicini con la signora che bamboleggiava, perché entra in casa zitto zitto e va a sedersi in poltrona e mette sullo sgabello i piedi puntati l'uno contro l'altro e fa le smorfiette. Io e le sorelline ci sbellichiamo dalle risate e lo obblighiamo a rifare l'imitazione anche su da mamma e da zia e anche loro si sbellicano. Mi dispiace che nonna Elena sia morta prima di potersela spassare anche lei. Magari, però, non si sarebbe divertita. Anzi. Avrebbe detto che questa è la nostra misera consolazione, sbeffeggiare la felicità delle famiglie normali, e si sarebbe chiusa in camera a piangere.

I miei ora sono in rapporti piuttosto freddi con i vicini, perché quando qualcuno ha detto che di giovani in età d'amare, qui, c'eravamo soltanto io e il loro figlio primogenito, visto che sono nate ben quattro femmine dopo di lui, i vicini hanno risposto che sono l'ultima ragazza che vorrebbero. Non per me. Ma per mio padre.

Mia nonna lassú starà piangendo per me e il mio orgoglio ferito.

Quando era viva e invitavo qualche compagna di scuola a casa, magari anche a dormire, vista la distanza dalla città, la nonna allestiva la cameretta dell'ospite e preparava la tavola e i cibi in modo elegante e sontuoso, come quando eravamo ricchi, e se magari questa compagna decideva di non venire, non pensava, come nonno, che era stata una grandissima maleducata a non avvisare in tempo, ma che non era venuta per sfregio, perché ormai nessuno piú si abbassava a essere ospitato da noi, dopo la fuga di babbo.

Invece i vicini passerebbero sopra la faccenda di babbo se nonno corteggiasse la loro nonna. Questo sí. Che coppia perfetta, tutti e due vedovi, con figli, ma in fondo soli, stessa generazione, stesse idee sulla vita.

Nonno dice che quella donna non la vorrebbe neanche se fosse l'ultima della terra, e non nel letto, o in casa, ma neppure vicina di loculo in cimitero. Tuttavia la nonna dei vicini è un umano importante, perché ha il cervello talmente vuoto, ma vuoto, che è la prova ontologica dell'esistenza di Dio. Infatti come farebbe, completamente senza cervello com'è, a camminare, parlare, esprimere pensieri e provare sentimenti, se non con l'anima? Quindi l'anima esiste. Quindi Dio esiste.

18. Ali di babbo

Forse è perché babbo se n'è andato che a quattordici anni non mi sono ancora venute le mestruazioni.

Quando ero nella pancia di mamma, babbo ha perso al gioco la prima casa e a mamma le si è svuotata la pancia del liquido amniotico e io sono rimasta a secco.

Una notte madame ha sognato che i miei denti si staccavano dalle gengive e che avevo perso i capelli, ma ero carina lo stesso. Soltanto che il cuore le si è stretto e mi ha portato a forza da un medico che le hanno detto sia bravissimo, il dottor Giovanni, il cognome non ce lo ricordiamo mai e lo chiamiamo così, il dottor Giovanni.

Il dottore ha ascoltato con attenzione il brutto sogno di madame e ha chiesto se avevo realmente mai avuto la piorrea e se stavo perdendo i capelli. No. Noi eravamo venute da lui per prevenire. Il mio male reale erano soltanto le mestruazioni che se n'erano fuggite via con babbo. Mi ha visitato e ha detto che per ora non c'è niente di preoccupante, a parte le mestruazioni, che arriveranno appena sarò un po' più serena. Mi

ha prescritto delle analisi, ha fissato un altro appuntamento. Dopo due settimane, vedendomi nuovamente
con madame, in modo discreto ha fatto qualche domanda sulla mia famiglia. Allora gli abbiamo raccontato di mamma, che è quasi sempre a letto e a volte è
così stanca che non riesce neppure a tenere in mano il
libro per leggere, e di tutti gli altri.

Madame ne ha approfittato per parlargli della sua
paura della menopausa e gli ha chiesto se è vero che le
donne in menopausa perdono il punto vita e qualunque desiderio.

Il dottore scriveva tutto e usava un foglio diverso
per ogni persona e a proposito di madame ha voluto
che lei spiegasse meglio questa faccenda della perdita del punto vita e quando ha capito gli è scappato da ridere e ha detto che semplicemente le donne
in menopausa non devono abbuffarsi e così il punto
vita rimarrà distinto dai fianchi. Per quanto riguarda
invece i desideri, sono una faccenda psicologica. Il
dottor Giovanni, che deve avere circa l'età di madame, ha sicuramente preso in simpatia la nostra causa,
perché ci ha fatto pagare per uno, mentre gli abbiamo esposto le malattie di tutti quelli a cui vogliamo
bene, e ci ha proposto di portarglieli per una visita,
soprattutto mamma, che il dottore sospetta abbia
una malattia per ora piuttosto oscura, di carattere
neurologico, la "sindrome da affaticamento" e non
un qualche danno alla spina dorsale, come pensano

i medici che la stanno curando. Madame, dopo, ha detto che secondo lei il dottore mi porterà fortuna, a me e alla mia famiglia, perché tutta la fortuna che non abbiamo avuto ci si dovrà pur scaricare addosso in qualche modo. Una valanga. Ha detto anche che il dottor Giovanni sarebbe un bell'uomo, se non fosse per quella frangia tagliata male, e ha qualcosa di speciale. Le è piaciuto molto il modo in cui fruga nell'armadio dei medicinali, le ha ricordato il figlio grande dei vicini quando cerca gli spartiti, un po' come gli scoiattoli buttano in aria la terra mentre si fanno la tana. Ho detto a madame che secondo me si è innamorata del dottore e ha risposto di no, non va bene che lei si innamori del dottore perché ci vorrebbe un miracolo, e non le sue povere magie, perché un uomo bello, studioso, intelligente, dolce, simpatico, particolare come lui degnasse di un solo sguardo una ignorante e insignificante zitella in menopausa. E poi chi ci dice che non sia sposato? Che non abbia una compagna fissa? Oppure che non gli piacciano gli uomini? Insomma, da queste considerazioni e timori ho capito che si è innamorata.

Adesso, appena uno ha un dolorino, madame consiglia subito di andare dal dottor Giovanni e si offre di accompagnarlo e la nonna dei vicini dice che ormai "non si piscia e non si caga senza quel grande genio del dottor Giovanni".

Nonno mi ha chiesto se questo dottore ha la fede

matrimoniale e se ci sono nell'ambulatorio fotografie di donne, o di famiglia, e io gli ho assicurato di no. Soltanto di aeroplani e di panorami esotici.

19. La Gioia

Il ferito parla sempre a madame della Gioia, che prima di venire in vacanza in Sardegna si stava trasferendo da lui, ma non era contenta dei suoi pochi mobili e con ragione, perché vivendo solo da troppo tempo non badava piú a queste cose. Allora La Gioia ha comprato non soltanto quello che non c'era, ma ha sostituito quello che le sembrava brutto. Adesso hanno un grande congelatore per i cibi che La Gioia cucina la domenica per tutta la settimana, un grande forno a microonde per scaldare velocemente questi cibi, una camera da letto nuova con un armadio a tutta parete alto sino al soffitto per contenere i vestiti nuovi suoi e della Gioia, perché La Gioia ha voluto rinnovare il guardaroba di tutti e due, e sinceramente lui è orgoglioso di come fanno bella figura insieme con quegli abiti. Comunque, bella figura o no, si sono divertiti a comprare e comprare e anche se madame sicuramente non la pensa cosí, comprare è una cosa creativa.

Io La Gioia non la posso soffrire dai giorni in cui era qui ad accompagnare il ferito. Di lei non mi piaceva niente, i suoi beveroni dietetici con il bendiddio che le offriva madame e come entrava in acqua saltellando e mai dalla vita in su e mai con le onde per non scompigliarsi la capigliatura fresca di parrucchiere e quel suo andare a Villasimius, da dove tornava con borse, collane, occhiali da sole, costumi, sandaletti, ceramiche e lo so che i turisti ci fanno del bene, a noi Sardi, quando comprano, ma La Gioia non la potevo soffrire lo stesso. La prima cosa che avrei fatto sarebbe stata gettarle in testa un secchio di acqua salata e rovinarle la capigliatura con le tre virgole, per cui non poteva fare il bagno in mare. Oppure le avrei messo un'ape dentro il vestito, impettita e attillata com'era. Oppure il vestito glielo avrei strappato e le scarpe gliele avrei buttate nell'immondezza, come fa nonno quando le mie sorelline iniziano con i capricci sull'abbigliamento. Oppure avrei fatto delle magie nere per farle scottare la pelle nonostante al sole non stesse mai e la notte si sarebbe rigirata da una parte e dall'altra senza prendere sonno.

Madame si impressiona se dico queste cose, perché le magie devono essere bianche e c'è il rischio che l'ape entri dentro il mio, di vestito, e che mi scotti tutta e mi spelli anche se al sole sono abituata e magari proprio quando deve arrivare il figlio dei vicini, il Jazzista, che anche se non lo dico lei ha capito che mi piace.

E poi a lei La Gioia fa pena. È soltanto una poveretta in questo mondo poveretto.

E anche a nonno fa pena e dice che le case farmaceutiche ci marciano sui poveretti come La Gioia e li fanno stare in piedi a forza di Prozac, perché se si deprimono se ne stanno a letto e non comprano piú niente e crolla l'economia mondiale.

Invece mamma, quando le racconto della Gioia, dice che sicuramente esagero e che almeno lei ha un uomo che la ama ed è felice, mentre madame, con i suoi capelli ricci scompigliati e la sua eroica povertà, non la vuole nessuno.

20. Il fantasma e i suoi amici

Quando i costruttori dei villaggi turistici fanno visita a madame, lasciano le loro belle auto vicino alla statale e madame va a prenderli all'inizio della strada bianca con la sua Ferrarina scassata, che tanto di piú non si può ammaccare. Ai costruttori madame ripete sempre che non può vendere, perché vive di questo posto, delle colture e della casa albergo. Allora i costruttori cercano di farle capire che se vendesse non avrebbe certo bisogno della frutta e verdura per vivere, né di fare la serva a non piú di otto ospiti, con tutto il rispetto, e scusando la volgarità, rincoglioniti, che camminano per chilometri sotto il sole e fra le spine prima di arrivare al mare.

Appena trasferiti qui, chiesero a nonno di vendere, e poi anche ai vicini. Tutti pensammo che la Fortuna girasse di nuovo a nostro favore, che forse in fondo babbo aveva ragione, ma i costruttori dei nostri terreni ai margini e senza accesso al mare non se ne facevano niente, se non vendeva madame, che aveva la terra proprio in mezzo e soprattutto confinante con la spiaggia.

Poi, con il tempo e l'amicizia di madame, nonno ha cambiato idea e secondo mamma ad ammazzare nonna

Elena non è stato soltanto babbo, ma anche madame, che ci ha impedito di diventare nuovamente ricchi e ha fermato con le sue mani la ruota della Fortuna. Ma la speranza c'è sempre. I costruttori tornano. Madame è gentile e carica le loro auto di ogni bendiddio. Ma di vendere nemmeno per sogno. I vicini, per quello che li riguarda, pensano che Dio abbia qualche suo piano imperscrutabile a proposito di questa terra e si serva, per attuarlo, di una povera donna come madame, senza marito e senza titolo di studio e, diciamolo, senza cervello. Nonno i costruttori li odia e quando vengono va al cancello e li fissa senza parlare in modo minaccioso come se fossero dei ladri e non dei benefattori che vogliono farci diventare ricchi.

E anche io li odio. Da quando li ho visti che facevano del male a madame. Una volta era tardi e avevo dimenticato un libro a casa sua e questo libro mi serviva per ripassare. Ho convinto mamma e nonno a lasciarmi andare con la torcia e il telefonino acceso, cosí loro potevano sapere in ogni minuto se era tutto tranquillo. La casa era quasi al buio e sembrava non ci fosse nessuno. Allora ho pensato che madame fosse dal suo primo o secondo amante e sono entrata dalla porta carraia e stavo per aprire con le mie chiavi, quando mi sono accorta di una luce fioca, come di candele. Dentro sentivo piangere e mi sono accucciata sotto una finestra che dà sul porticato. Era lei a pregarli di farle

83

male e a voler essere punita e sembrava che i costruttori la conoscessero da tanto tempo e sapessero tante cose che noi non sapevamo. Aveva le mani legate e stava stesa nuda sul tavolo lungo e basso per fare il pane, e il forno a legna era acceso. I costruttori erano a petto nudo e come rispettando un turno la toccavano e poi la colpivano dappertutto mentre lei piangeva e diceva di continuare, perché non era andata a scuola, perché nessuno l'aveva mai amata, genitori, fratelli, amanti. I costruttori a questa cerimonia sembravano abituati e uno di loro andava ad aprire il forno e tirava fuori con un guanto dei legnetti ardenti e li posava leggermente sulla pelle di madame che allora lanciava un urlo, ma poi si rimetteva a piangere e a dire le solite cose che conoscevo anch'io e che diceva a nonno. Ho pensato a uno di quei quadri dai colori bui del periodo barocco che sto studiando in storia dell'arte, in cui c'era una donna bellissima accusata di stregoneria che stava bruciando. Oppure alla scena di un film di fantasmi. I costruttori hanno fatto alzare madame dalla tavola e l'hanno legata a una trave, si sono tolti le cinture dai pantaloni e hanno iniziato a frustarla, mentre lei diceva che facevano bene, che lo meritava. Alla fine l'hanno slegata e si sono rivestiti.

Madame, muovendosi a fatica, ha riempito le ceste con le provviste, le ha caricate sulla Ferrarina e credo li abbia accompagnati alla statale dove, come sempre, i costruttori lasciano le loro auto.

Un'altra volta, invece, sono andata apposta. Con una scusa. Ormai ho capito che madame chiama i fantasmi picchiatori per farle male quando i suoi amanti non la cercano. Mi sono nascosta dietro la finestra e il cuore mi batteva molto forte. I costruttori erano a tavola e le luci della grande cucina erano fioche come nella scena precedente. Madame non c'era e i costruttori mangiavano e parlavano fra loro, ma non sembravano proprio veri. Ogni tanto lanciavano a un cane, che sicuramente avevano portato con loro, degli avanzi. Il cane non riuscivo a vederlo, era sotto la tavola, ma ero certa che fosse un animale dal modo in cui lo trattavano. Dopo ho capito che questo cane a cui davano gli avanzi era madame, perché le dicevano "cagna" e "demente" e "brava la nostra albergatrice, la nostra ereditiera".

Forse è vero che quando lavorava negli alberghi, madame faceva la puttana.

O quello che dicono i suoi famigliari, che poveretta non ha la testa a posto e a scuola, di questi tempi, le avrebbero dato l'insegnante di sostegno. Ma penso invece che abbia ragione nonno. Madame rappresenta la catastrofe e il dopo catastrofe, perché il mondo così com'è cascherà e soltanto dopo che sarà cascato capiremo che era ora di cambiare tutto.

Adesso che in casa c'è il ferito sono tranquilla, i costruttori non oseranno certo avvicinarsi.

Anche se ormai lo so che non esistono davvero. Il

fantasma e i suoi amici vengono a far male a madame quando lei li chiama perché è triste e non si sente adatta alla vita. Come si spiegherebbe, altrimenti, quella luce fioca e quei visi sfumati e perché li ho visti soltanto io e non i vicini, o la mia famiglia, o il musicista jazz in tanti anni che è andato a suonare la tromba quando c'era brutto tempo?

Madame, per questa sua follia di non vendere, è diventata famosa e d'estate, quando durante le crociere i barconi fanno approdare in spiaggia i turisti, le guide con il megafono spiegano che qui vive una contadina-affittacamere che si ostina a coltivare questa terra arida e aspra e non vuole vendere e diventare ricca.

Allora i turisti vogliono tutti affittare una camera in questo paradiso, ma poi le guide, sempre con il megafono, spiegano che le stanze sono solo quattro e non c'è la televisione e l'acqua è razionata e ci sono le pale e le dinamo, o i generatori di corrente se non c'è vento e nulla si può sprecare.

La casa è lontanissima dal mare e gli ospiti, se vogliono arrivarci, devono camminare per i sentieri sotto il sole sino alla mulattiera ripida, perché la signora contadina-affittacamere non ne vuole sapere di fare una strada.

I turisti dicono che madame non è mica scema e che in fondo ha una spiaggia privata come i miliardari in Costa Smeralda, ma la guida spiega che non è cosí, perché in Costa Smeralda alle spiagge non si può accedere da terra, mentre qui, questa donna, a piedi, lascia gironzolare chiunque, ma ci vengono soltanto gli amanti del trekking, o degli originali che vogliono fare gli eremiti.

Allora i turisti smettono di chiedere informazioni e si accontentano di scendere in spiaggia e saltare e schizzarsi e urlare di gioia per la trasparenza e l'azzurro dell'acqua e per il profumo della macchia e per le rocce giallo oro e fanno tante fotografie e filmano e prima di andarsene prendono almeno una conchiglia o un sassolino di granito o un rametto di ginepro per ricordo.

21. Il congedo del ferito

Il ferito, prima di partire, si è congedato da madame con un discorso. Ha capito perché di madame, nonostante la bellezza e la carica sessuale, gli uomini non si innamorano. È troppo buona e mite, ma di una bontà cosí fuori tempo da risultare fastidiosa e il ferito non pensa, come invece nonno, che questa bontà e mitezza siano le condizioni necessarie perché esista ancora l'uomo nel futuro.

Potrebbero farle qualunque cosa e lei risponderebbe con un sorriso. Madame non ha capito che anche nell'amore c'è volontà di sopraffazione, violenza, esercizio di potere. Altrimenti non c'è gusto. La Gioia, per esempio, è un'ottima persona, ma prova ad arrivare in ritardo a un appuntamento, a dimenticarti il regalo del suo compleanno, a non darle la buonanotte al telefono prima di dormire, te la fa pagare. Hai sbagliato e questo lei non te lo permette. Cosí va il mondo, cara, deliziosa madame, proprietaria di una terra che a venderla potrebbe vivere da milionaria, viaggi, gente nuova, uomini, bei vestiti, e non quei ridicoli abiti ricavati dalle tovaglie vecchie e dalle bisacce, bella macchina, anziché quel catorcio. E mandare affanculo tutti, primo, secondo amante e anche lui, il ferito, lui che è venuto qui a prendere gentilezza, sesso, aria buona, cibo sano, senza dare niente. Niente.

Quando il ferito se n'è andato ha dimenticato di pagare la pensione. Forse perché essendo diventato il terzo amante l'ospitalità gli è sembrata dovuta. Madame gli ha riempito la valigia di formaggio pecorino, prosciutto, pane, mirto, limoncello fatto in casa, dolci con le mandorle. Ha lavorato per giorni mentre piangeva.

Anche il ferito era triste e le ha detto che lui vorrebbe amarla e in fondo l'ha amata. Sí, per questi due mesi l'ha amata davvero. Ma, poiché gli piace essere sincero, le ha anche detto che l'ha amata perché sapeva che doveva finire, che lui sarebbe partito e tornato alla sua vita, alla sua città piena di ciminiere, è vero, ma nella realtà di oggi, a un'ora di treno da tante altre città.

Perché qui siamo fuori, in un mondo che sembra respingere il progresso con l'intrico dei ginepri spinosi e le rocce e le onde potenti e che madame si ostina a salvare, e che è meraviglioso, ma per un mese o due.

E forse per tutta questa tristezza, per tutti questi discorsi degli ultimi giorni, ha detto madame, ha dimenticato di pagare i mille euro circa dei due mesi di pensione e, dice la nonna dei vicini, di "assistenza completa".

Da quando il ferito è tornato al Nord madame fantastica che fra la nebbia e il fumo delle ciminiere e gli scarichi e i clacson delle auto e il cielo grigio, soffra della nostalgia di lei e di questo posto. Invece il ferito manda messaggi come: "Tornato al lavoro. Tutto bene. Spero lo stesso di te".

22. Le feste da madame

La ex moglie chiede spesso a madame di poter fare delle feste nel porticato, per conoscere gente nuova, soprattutto uomini, e l'autunno è il momento migliore, perché il sole scalda ancora, ma non picchia.

Soltanto che madame sta bene ai margini, al confine, non per niente abita in questo posto, quindi lei alle feste non partecipa e se ne sta al piano di sopra e guarda i festanti dietro le persiane e si diverte moltissimo e balla in camera sua, abbracciata al cuscino, se mettono un lento, oppure si scatena per gli svelti. Sente gratitudine per la ex moglie, che le ha presentato l'amante e che vuole cambiarle in meglio la vita, e allora, anche se non partecipa alle feste, inforna dolci e pani e lava tovaglie per giorni e spazzola bene il pavimento di cotto del porticato e mette lungo la strada dei segnali artistici, perché i festanti trovino la casa. La ex moglie cerca di convincerla a partecipare, così conosce qualche uomo nuovo, visto che l'ex marito non è che sembri tanto preso da lei, e neppure il secondo amante. Ma non c'è niente da fare, tanto madame è spudorata con gli uomini a tu per tu, quanto un assembramento di più persone, non dico una scuola, ma perfino una festa, la getta nel panico e lei vorrebbe subito nascondersi nel bidone della spazzatura o nel letame.

Un giorno la ex moglie dell'amante le ha chiesto di poter fare una festa con la sua ex famiglia e madame era emozionata all'idea che l'amante venisse a casa sua, anche se per questa strana occasione. Era pronta a dire di sí, se lui glielo avesse chiesto. Ma quando si sono visti lui non ne ha fatto cenno. Allora madame ha pensato che quando si fosse reso conto di essere a casa sua, sarebbe salito a invitarla ed era pronta con un bel tubino ricavato da un copricassa in cotone, con trama supplementare in lanetta e inserti in nastro di seta.

Dietro le persiane ha visto arrivare i parenti e anche l'amante. Nel cortile gli uomini cuocevano il maialetto allo spiedo e le donne preparavano i piatti di sedani, formaggi e salsicce e nel porticato c'era la tavola con i dolci fatti da madame e coperti con i grandi tovaglioli antichi di lino.

Madame aspettava che il suo amante salisse a prenderla e invece ha bussato la ex moglie per convincerla a essere superiore e spiritosa e a scendere alla festa e da dietro la porta chiusa le diceva che, del resto, questo era il tipo di rapporto fra lei e l'amante e che doveva stare al passo con i tempi e quindi scendere. Madame si è tolta il vestito copricassa e si è buttata sul letto a piangere. Quando ha rivisto l'amante, lui le ha detto che ha una bellissima casa e che si sono trovati bene e grazie davvero per come è stata gentile. I vecchi genitori hanno pensato che in loro onore avessero affittato quel posto meraviglioso con il calesse tirato da Amélie pronta a prenderli alla statale.

Una giornata indimenticabile.

Madame mi ha raccontato tutto questo ormai felice e orgogliosa per le lodi dell'amante e io ho raccontato di nuovo tutto a casa. Nonno ha dato un pugno sulla tavola facendo traballare piatti, bicchieri e posate e se n'è andato senza mangiare e sbattendo la porta. Non mi ha parlato per giorni senza dare spiegazioni e a madame ha tolto il saluto. Lei si disperava e non capiva cosa fosse successo e quale torto gli avesse fatto e veniva da noi sempre piú disperata e chiedeva a mamma di intercedere. Mamma, che conosce suo padre, ha capito benissimo e ha detto a nonno che lui da chi vuole tollera tutto, vedi il genero, e con il resto del mondo fa il rigido e che tutto questo è ingiusto, perché gli amici si accettano con pregi e difetti e madame è buona sino a essere scema e questo si sa. Allora nonno è andato da madame e l'ha perdonata e madame non ha mai capito di cosa, ma non importa. Dopo questo fatto nonno ha elaborato sull'amicizia la filosofia del *viaggio di andata e ritorno*. Nel viaggio di andata uno dell'amico non vuole piú saperne per quanto è stronzo e nel viaggio di ritorno pensa che però, in fondo, è il suo amico, che ha tante doti e un amico cosí dove mai lo troverà.

23. Il rumore del mare

I messaggi del ferito sono cambiati. Scrive di sentire nelle orecchie le onde che vanno e vengono e di rievocare quel suono quando è depresso. Se telefona e madame è fuori, le chiede di fargli sentire al cellulare il rumore del mare e lo stormire della macchia quando il vento è forte. Oppure dice di sognare il corpo morbido di madame, le sue tette grandi di burro, persino i suoi vestiti cosí originali fatti di tovaglie e tende e asciugamani vecchi. E questo gli fa bene.

Poi un giorno il ferito ha telefonato a madame con una voce spaventosa e le ha raccontato che La Gioia, prima del trasferimento definitivo da lui, si è seduta sul letto nuovo, si è messa a piangere e fra i singhiozzi gli ha detto che non lo ama piú, che quando lui era ferito in Sardegna, lei ha avuto il tempo di riflettere sulla loro storia e ha capito che non può funzionare. Forse era cosí anche prima della Sardegna, ma tutto quel comprare li aveva frastornati e i cattivi pensieri erano rimasti sul fondo.

Adesso il ferito chiede a madame di poter tornare in questo posto meraviglioso lontano dallo schifo del mondo, a costo di prendere in ufficio un'aspettativa non pagata, chiede a madame di aiutarlo a dimenticare La Gioia, di aiutarlo a innamorarsi di lei. Madame ha risposto che le dispiace moltissimo, ma proprio ormai non lo ama piú. Prima, eccome se lo amava. Ma lui era sempre con La Gioia in testa e le diceva che gli sarebbe piaciuto amare lei, madame, che era cosí buona e gentile e innamorata.

Il ferito non la ascolta nemmeno e continua a telefonarle e a dirle che La Gioia lo ha lasciato e c'è il vuoto, una gravissima perdita. Magari adesso madame può aiutarlo a dimenticare. Lui imparerà ad amarla. Col tempo. A volerle almeno bene.

Soltanto che madame, mentre il ferito parla, e le dispiace moltissimo, sente un urlo dentro di sé, come un "vaffanculo". Magari è un errore. Madame dice che adesso, rispetto a quando era giovane, sa tanto di piú su tutte le cose, e pensa: "Averle sapute allora!" Ma poi le capita di trovarsi in una certa situazione, ora, nel presente, di aver bisogno di sapere, e si accorge che quello che le serve adesso non lo sa, per esempio se deve mandare affanculo il ferito o no, e magari lo saprà un domani e non se ne farà piú niente.

Quando la vita è un dilemma, madame lava e mette tutto a posto in casa e in cortile, striglia Amélie e la Ferrarina, e dopo che ogni cosa giusta del colore giusto è nel posto giusto, le sembra impossibile che nel mondo regni ancora tanto disordine.

Il ferito ha smesso di telefonarle e tutto è tornato come prima.

Quando madame va dal suo amante, se lui sta cucinando per la settimana, le fa passare i cibi sotto il naso, li mette nel congelatore e non le dice: "Vuoi assaggiare?" Forse, pensa madame, perché la desidera talmente che vuole andare subito a letto senza perdere tempo in cose sceme. E dopo l'amore sono cosí stanchi che chi ci pensa piú a mangiare.

Nonno dice a madame che lei non dovrebbe andarci piú dall'amante, perché qui non è questione di amore o non amore, ma di venir considerata o no un essere umano. A un essere umano davanti a noi, mentre cuciniamo, gli diciamo: "Vuoi assaggiare?" Se invece lí di fronte c'è un portaombrelli, non pensiamo di dargli da mangiare. O no?

Madame risponde che se lei fosse un portaombrelli l'amante non la abbraccerebbe, non la spoglierebbe, né la porterebbe a letto. Allora nonno, che a questo punto perde la pazienza, le dice: "Va bene. Non sei un portaombrelli. Allora per lui sei una puttana".

E madame: "No, perché non mi paga. Non mi dà niente e sono io che gli porto un po' di provviste e mi vuole bene, lo sento che in fondo mi vuole bene. E poi una volta mi ha dato il cucchiaio e mi ha detto di assaggiarlo pure, il sugo della settimana".

"Sti cazzi, *sa tzia*, una cucchiaiata di sugo, ma non sarebbe meglio andare alla Caritas?"

Mamma dice che nonno non bisogna prenderlo alla lettera, perché ha uno spirito critico feroce e il mondo non lo si può guardare cosí. Gli umani si arrangiano. Fanno dei compromessi. Nel caso di madame è vero che l'amante non la ama, ma due o tre ore alla settimana questa donna ha qualcosa che, almeno, all'amore assomiglia. Si toglie di dosso i soliti stracci, si veste da femmina, prende la macchina, va in città, qualcuno la tocca. È terribile non essere mai toccati. Lei, per esempio, mamma, la tocchiamo soltanto per aiutarla a tirarsi su dal letto e per sorreggerla quando cammina. Allora io l'abbraccio, questa mia povera mamma. Lo so che è ancora giovane e babbo non c'è piú ed è l'amore che l'ha ridotta cosí.

La ex moglie dell'amante dice che il suo ex marito la preoccupa. Quindi va spesso a trovarlo. Cosí, per fargli un po' di compagnia. Sente tanta tenerezza per lui, per come si dà da fare a prepararle tante cose buone da mangiare, come se arrivasse una donna nuova da corteggiare.

Un giorno madame si è fatta coraggio e ha chiesto all'amante se un po' la ama. Lui ha sorriso e ha detto che non si ama un po'. O si ama o non si ama. Madame era stesa nel letto nuda accanto a lui, che si è alzato di scatto, si è rivestito e se n'è andato di là. Allora madame ha sentito un grande spavento e si è rivestita e ha giurato a se stessa che mai piú farà domande cosí sceme. Domande cosí sceme fanno sparire tutta la magia e la vita senza magia è soltanto un grande spavento.

Dopo questa domanda l'amante non l'ha piú cercata. Era autunno e adesso è inverno. È arrivato Natale e l'amante non ha telefonato neppure per gli auguri.

Il secondo amante invece era desolato, perché non ce la faceva a vedere madame durante le feste, per il troppo lavoro e per una serie cosí lunga di problemi e contrattempi che nonno ha detto: "Ci manca soltanto che l'abbiano rapito gli extraterrestri". E, insomma, si capisce che ha trovato una nuova piú giovane.

Poi però ha richiamato. Era triste e ha confidato a madame che adesso sta con una brava ragazza, giovanissima anche lei, bellissima anche lei, bravissima a letto anche lei, forse meglio, che non gli fa dispetti come l'altra, che lo ama. Il problema è che lo ama troppo. Per Natale ha portato a casa sua un alberello e gli addobbi di famiglia, quelle palle di vetro dei tempi dei suoi genitori, e degli angioletti di pane fatti con le sue mani, con il cappottino e la sciarpa bianchi, anch'essi di pane, e i capelli di fili di lana, e lui si sente perduto ogni volta che li guarda, questi poveri angeli e questi poveri addobbi di vetro dei tempi in cui era un bambino, fatti per consolare e invece per lui soltanto un grande spavento. Perché questa ragazza lo dà per scontato che passeranno insieme le feste e il secondo amante ha quasi nostalgia delle cattiverie dell'altra.

Il figlio grande dei vicini è tornato con la valigia piena di magliette estive, un accappatoio, occhialini, costume da bagno e cuffia da nuoto. Sua mamma gli chiedeva "perché?" urlando e lui rispondeva che pensava che qui ci fosse caldo, e poi che a Parigi sta andando in piscina, cosí si fa il fiato per la tromba. "Qui non ci sono piscine!" continuava a urlare la madre, "Qui c'è il mare. D'estate!"

"Sí. Lo so. Volevo soltanto farvi vedere le mie cose del nuoto!"

Nonno, quando l'ho raccontato a casa, non faceva che entusiasmarsi: "Geniale! Geniale! Un artista". Mamma, da dietro, gli faceva cenno di tacere. Le sorelline ascoltavano e per loro sentire queste cose e vedere l'approvazione di un adulto è diseducativo.

Per Natale madame e io avevamo soltanto il compito di cercare i regali per le sorelline, per Pietrino, e un po' di abbigliamento invernale per il musicista jazz, visto che zia non c'è e nonno e mamma, anche se per ragioni diverse, i regali non li possono soffrire. Allora, una volta in città, madame, elegantissima, con un abito ricavato da un'antica bisaccia fine Ottocento, ha proposto di andare dal dottor Giovanni a parlare delle malattie, ma anche a fargli gli auguri. Il dottore domandava e soltanto io gli rispondevo, perché madame, con il mento appoggiato alla scrivania, non faceva che guardargli le bellissime mani e il collo e la bocca e a pensare chiaramente quello che si pensa in casi del genere. Al momento dei saluti ha tirato fuori un pacchetto e glielo ha dato. Era un nastro registrato con il rumore del mare e della macchia quando c'è calma, temporale, pioggerella, vento debole e vento forte e fortissimo e, la cosa piú bella di tutte, il suono della tromba del musicista jazz.

Il dottor Giovanni ha voluto subito ascoltarlo e si vedeva che era sbalordito e ha detto anche che era felice e di questo nastro era proprio innamorato. Madame si è scusata di un regalo cosí e gli ha confessato che l'idea l'ha presa da un film, perché noi non abbiamo la televisione, ma andiamo quasi tutte le settimane in città al cinema, e che quelle registrazioni doveva spedirle a un ospite ferito che era stato in albergo, ma poi non gliele aveva spedite piú e aveva deciso di darle a lui per Natale. Il dottor Giovanni l'ha ringraziata con una calorosa stretta di mano. Non con un bacio, almeno sulla guancia, come secondo me sperava madame. Ma noi siamo uscite dal suo studio ugualmente felici. Il dottor Giovanni non può saperlo, ma il fatto che non porti la fede e che alle pareti del suo ambulatorio ci siano tutti quei quadri di aeroplani e paesaggi esotici e non fotografie di donne o di famiglie, ci ha fatto passare un Natale migliore.

Arrivata a casa io ho raccontato subito che il dottor Giovanni aveva pronunciato la parola "innamorato" e che secondo me sicuramente intendeva "innamorato" di madame. Mamma ha detto: "Fosse vero! Soltanto che di te non c'è da fidarsi".

I costruttori, o forse i fantasmi, sono venuti a fare gli auguri in coincidenza con i famigliari di madame, e avevano un'aria stupita per la strana casualità, ma visto che erano lí, tanto valeva parlare tutti insieme della terra e di una eventuale vendita. Madame ha cucinato per tutti e ha riempito le auto di provviste, ma si vedeva che c'era rimasta male, perché la sua famiglia non la invita mai per le feste e la precedono venendo qui, forse per paura che vada lei a casa loro.

Madame ha detto che in fondo, pensandoci bene, della bellezza di questo posto non se ne fa niente e magari vende e se ne va lontanissimo.

La notte della Vigilia e il giorno di Natale è stata nostra ospite e mamma, seduta al tavolo di cucina, dicendo a me e alle sorelline "porgetemi questo. Porgetemi quello," ha cucinato in onore di madame. Nonno ha arrostito nel caminetto la coratella dell'agnello allo spiedo e l'indomani c'erano la salsiccia secca e il prosciutto sardo, il brodo di gallina con la fregola, l'agnello arrosto cotto nel camino. Madame è venuta vestita di gala con una *manta ingemmada*[8] e ha portato il pane e i dolci fatti nel forno a legna e le pizze per le mie so-

[8] Coperta preziosa con un disegno ispirato a veli di tulle ricamati a fiorami.

101

relline, che non amano i cibi tradizionali, ma le pizze e le patatine. Zia ci ha telefonato da Israele un po' triste perché si sentiva sola e i suoi amici filosofi israeliani e palestinesi non avevano niente da festeggiare, ma di Dio avevano parlato lo stesso, di come ciascuno è una *monade senza porte e finestre,* priva di contatto con gli altri, ma di come Lui in fondo ha fatto del suo meglio creando *il miglior mondo possibile* con le *monadi* che, seppur sole, si muovono in armonia.

24. Ali di babbo

Quella notte è tornato babbo. Ho pensato venisse a prendermi e in fondo ero contenta, perché il mio futuro, a volte, mi sembra proprio che non porterà niente di buono e allora tanto vale andarsene subito.

È tornato a modo suo, il vento, le lenzuola su sino al soffitto e gli scherzetti. Poi è uscito dalla finestra. Mi sono coperta bene e ho seguito le ali di babbo sin fuori casa, per i sentieri nella macchia. La luna creava una luce azzurrina chiara attorno ai cespugli, coperti di gelo brillante, ed era tutto cosí perfetto, ma io cosí triste che ho pensato al Dio di Leibniz e a come non ha organizzato affatto le cose per il migliore svolgimento della vita universale. Preferivo seguire babbo, magari lassú, in un altro mondo. Di sentiero in sentiero siamo passati davanti alla casa dei vicini. Si sentivano delle urla. "Vergogna! Non sembri nato nella nostra famiglia! Vattene! Tua nonna l'avrai sulla coscienza! Stai tranquillo che Gesú questa non te la fa passare liscia, e proprio il giorno della sua Natività!" Poi un rumore di vetri che si rompevano nelle stanze in cui si accendeva la luce. Il figlio dei vicini è uscito da casa, furioso, con la sua tromba, in maglietta con questo freddo gelido.

Piangeva a dirotto e urlava e prendeva a pugni con la mano libera i cespugli come se volessero assalirlo. Le ali di babbo lo seguivano veloci e io con loro sino alla statale e poi giú per la mulattiera ripida sino al mare. L'ho raggiunto e ha preso a pugni anche me. "Non mi rivedrete mai piú!" urlava, "Vi odio tutti!"

Io non mi sono persa d'animo e cercavo di tenerlo fermo, perché avevo paura che si buttasse in acqua. Gli dicevo che qualunque cosa fosse successa, lui era giovane e suonava benissimo e anche se non aveva piú nessuno al mondo, aveva la sua musica e soprattutto aveva se stesso e tutti abbiamo solo noi stessi e anche io quella notte volevo morire, ma adesso, se ci calmavamo un po' e guardavamo come tutto intorno era bello e tranquillo, magari ci faceva bene.

"Non me ne faccio niente di questo posto di merda, odio tutto!" urlava. Ma poi si è seduto su una roccia e ha continuato a piangere, sommessamente, ed era un pezzo di ghiaccio, perché la furia l'aveva fatto sudare e il sudore gli si stava gelando addosso. Aveva detto a sua nonna tutta la verità, che lui la Sorbona l'ha vista soltanto da fuori, perché va spesso a suonare nel Quartiere Latino. Che a Parigi non sta in collegio. Che si guadagna da vivere andando a suonare nei locali e se non lo chiamano non mangia e se non mangia va a suonare la tromba nel metrò. Che accetterebbe di occuparsi di un'impresa di costruzioni soltanto, e forse neppure, con una pistola puntata alla tempia. Allora la nonna si è sentita male e l'hanno portata al Pronto Soccorso di Villasimius e lui non capiva perché uno non può vivere come cazzo gli pare, se non ammazza e non ruba. Invece per i genitori, adesso, se la nonna moriva, la colpa era sua.

"È arrivato l'inverno," gli ho detto togliendogli i ghiaccioli dai capelli e dalla schiena. È scoppiato a ridere. Rideva e piangeva. Il mare era uno specchio attraversato da una lunga scia luminosa come una pista di pattinaggio su ghiaccio, d'argento. Allora gli è venuta improvvisamente l'ispirazione e ha composto lí per lí una versione jazz di *Clair de lune* di Debussy e si sentiva soltanto la sua tromba e persino le ali di babbo sono rimaste ferme, nel cielo, ad ascoltare.

"Non è vero che odio tutti e di questo posto non me ne faccio niente," ha detto poi il figlio dei vicini, come scusandosi.

E il giorno dopo a me sono venute le mestruazioni.

E sono sicura che anche per il musicista jazz un albero non è mai soltanto un albero.

25. La partenza della nonna

La nonna dei vicini, quando si è ripresa, ha voluto che il nipote andasse a casa sua, in paese, e le raccontasse tutta la verità, anche se dura da digerire.

Nessuno sa cosa si siano detti, ma la nonna prende ormai anche lei lezioni di francese dal ragazzo del Senegal, che si guarda bene dal chiamare *negretto*, ma rigorosamente professore, anzi, meglio *monsieur*, e ora che è arrivata la primavera la nonna dei vicini va e viene da Parigi e racconta che lei la mattina presto va nella *boulangerie* in *Rue du Temple* a comprare la *baguette* e poi a finire la spesa nella *boucherie* o nella *poissonnerie* in *Rue Rambuteau* e noi non possiamo immaginare i colori dei negozi di frutta di Parigi, e di fiori, e di cioccolatini, e di perline. Poi, finiti i lavori domestici, che qui non fa perché ha la *bonne*, ma che a Parigi anche se pesanti sono tutta un'altra cosa, va in chiesa a *Notre Dame* e a passeggio lungo la Senna in *Quai de l'Hotel de Ville*. Quando racconta si commuove: per la primavera a Parigi, per *Notre Dame* che si specchia la sera sulla Senna, per il nipote, cosí sporco e affamato, in quel tugurio puzzolente con le scale traballanti e il lavandino tappato dai piatti sporchi e il pavimento tarlato e i rubinetti che quando li apri girano su se stessi e spruzzano dappertutto, per quel suo letto con le lenzuola bollate di lurido sotto una finestrella da cui però si vedono i comignoli e gli abbaini e i tetti color del cielo parigino e le ringhiere che sembrano ricami finissimi e lontano la *Tour Eiffel*. E per il jazz. La nonna dei vicini si commuove anche per il jazz.

Dice che in fondo tutto il mondo è paese, perché ha passeggiato con delle signore anziane come lei, che la capivano se accompagnava con i gesti quel po' di francese imparato grazie a *monsieur*, cosí come lei capiva loro e queste avevano i suoi stessi problemi, di solitudine, di acciacchi, ma dopo tutto si sentivano fortunate, lí a passeggiare lungo la Senna, a chiacchierare in due o tre lingue diverse e a comprendersi cosí bene.

Quando la nonna dei vicini torna dalla *Ville lumière*, andiamo a prenderla con la Ferrarina di madame e viene sempre anche Pietrino. Nessun altro può mai venire. Nonno vorrebbe, perché non si fida né della Ferrarina, né della guida di madame e teme per me. Però ha paura che la nonna, trovandolo ad accoglierla, si faccia delle illusioni.

Guardiamo i cartelli luminosi degli arrivi e quando il volo da Parigi è *landed* inizia a batterci il cuore e quando si aprono le porte automatiche, la nonna ci appare bellissima, con il tailleur e la borsetta e le scarpe e il profumo e i capelli raccolti a banana, tutto alla parigina come aveva visto nei film *antigorius* dei suoi tempi e ci mettiamo a piangere per la commozione e chissà perché Parigi ci fa questo effetto.

26. Le amanti degli amanti

Il primo amante, con l'arrivo della primavera, ha telefonato a madame, che ha deciso di non fare piú domande sull'amore, ma di chiedere, come consiglia nonno, il perché di ogni cosa, di procedere, insomma, per piccoli passi, senza scomodare i massimi sistemi del tipo "mi ami o non mi ami?" Quindi ha chiesto all'amante perché con lei non si fa mai vedere in giro, per una pizza, un cinema, una passeggiata al mare. Nessuno dei due è sposato, nessuno dei due fa del male. Anche i vicini, quante volte hanno detto a madame, se avevano qualcosa di buono da mangiare: "Invitalo pure". Ma lui non viene e dice: "Proprio oggi non posso". Insomma, madame si è fatta coraggio e glielo ha chiesto. Questa volta l'amante ha risposto e le ha spiegato la teoria della vita a "scatole chiuse", che consiste nel fatto di non mischiare sesso con amicizia, lavoro, interessi culturali, sport. Ogni cosa sta nella sua scatola.

Madame l'ha riferito a nonno che, dopo aver riflettuto, ha concluso: "Perché, allora, non ti fai mettere per un po' nella scatola delle pizze?" Madame con nonno si diverte. Ride per qualunque sciocchezza.

A nonno questo lo rende nervoso. "Non devi ridere sempre. Non c'è soddisfazione a far ridere con battute banali. Se io ti guardo e ti dico *puf puf* tu ridi". Mai non le facesse *puf puf*, perché allora madame inizia a sbellicarsi dalle risate. Dopo questo gran ridere con nonno, madame canta. È una canterina bravissima e la sua voce melodiosa sembra voler dire che la vita in fondo è bella.

Madame ha preso nonno sul serio ed è andata dal primo amante a chiedere di essere messa in un'altra scatola, togliere il sesso, fare gli amici e basta, qualche passeggiata insieme, un cinema, mangiare una pastasciutta, cosí. Conoscersi meglio. E anche l'amante era d'accordo e diceva che lui non voleva fare l'infelicità di nessuno e se a madame non andava piú il letto senza anche le passeggiate, e il cinema e le pastasciutte, lui la capiva, ma non poteva fare nulla per lei, tutte le cose insieme non si potevano avere.

Allora facevano le passeggiate e andavano al cinema e mangiavano le pastasciutte, ma quando madame, eccitata dalle novità e dalla gratitudine e dal fatto che il primo amante era bello e simpatico e gentile e accogliente, gli si avvicinava per abbracciarlo, la spingeva via e diceva che *ormai* era lui a non averne piú voglia, del sesso, e tutta la magia spariva e la vita ritornava a essere soltanto un grande spavento.

Un giorno la ex moglie dell'amante è venuta in visita da madame con un'aria imbarazzata e le ha chiesto di offrirle una bottiglia di vino, perché soltanto dopo un cicchetto ce l'avrebbe fatta a raccontarle tutto. Si era accorta da tempo che il suo ex marito si sentiva solo e triste, e nonostante non gli mancassero le donne, anche belle e buone come madame, nessuna riusciva in quella misteriosa cosa che è toccare il cuore di qualcuno e creare un affetto, un legame. Da quando si erano separati, nessuna era mai quella giusta. E anche per lei, dal momento della separazione, nessuno era mai quello giusto. Nessuno le aveva mai toccato il cuore. Tutti quei cybernauti. Storie ridicole.

Madame ha sentito uno sparo a bruciapelo, *buum!* Il sangue non è uscito e si è rappreso dentro formando un ammasso di grumi. Una di quelle emorragie interne in cui vomiti il sangue di una ferita che non puoi vedere.

Dopo pochi giorni, però, il mondo dell'amante e della sua ex moglie, quel mondo in cui due esseri umani si legano d'amore e fanno sesso soltanto fra loro, anche con le passeggiate e il cinema e le pastasciutte, appariva già cosí estraneo e cosí lontano da lei che tutto il dolore e la voglia di vomitare sangue diventavano una nostalgia. Ma di qualcosa che non si conosce e quindi, in fondo in fondo, sopportabile.

Il secondo amante dopo Natale ha lasciato la ragazza che lo amava e faceva gli angioletti di pane e ultimamente stava con una anche lei molto giovane, molto formosa, corteggiatissima, che però lo faceva nuovamente soffrire.

Una notte ha bussato alla porta di madame ed era stravolto. Madame gli ha fatto il caffè e lui le ha raccontato che era andato in una discoteca qui vicino con la ragazza, che avevano incontrato degli amici di lei che l'avevano subito circondata e iniziato a farle complimenti piuttosto volgari. Lui era pronto a intervenire e a metterli a posto con qualche pugno e invece la ragazzina continuava a ridere e a ballare in mezzo a loro con una maglietta sottile e corta che metteva in risalto le grandi tette. Poi, a un certo punto, uno dei ragazzi le aveva rovesciato addosso un bicchiere di birra e lei, sempre morta dal ridere, si era tolta la maglia e aveva continuato a ballare con le tette nude e bagnate. Allora lui se n'era andato senza salutarla. Era una ragazzina cosí. Non una puttana. Perché poi non te la dava. Ti faceva diventare matto. Anche a quei tipi in discoteca. Sicuramente li aveva fatti impazzire senza dargliela.

Cosí il secondo amante è rimasto a dormire da madame e la mattina dopo li ho visti che passeggiavano sulla spiaggia deserta, con le scarpe in mano e i piedi nell'acqua limpida già con le tonalità azzurre dell'estate. Da quel giorno si fa tanti chilometri per venire a dormire da madame.

Sembrano felici e il secondo amante dice a madame

che non gli pare vero di poter finalmente fare l'amore senza il preservativo, anche se di ottima marca. Di lei si fida. Lei ora è la sua donna.

27. Fuggire

Il secondo amante deve aver fatto la pace con la fidanzata ragazzina, quella che non gliela dà. Una notte non è tornato a dormire da madame. Ha detto che aveva perso la strada. Era stanco e dopo aver imboccato la deviazione dalla statale, non sapeva neppure lui come era successo, aveva girato e girato e la casa di madame non la trovava ed era notte e non voleva disturbarla perché gli andasse incontro e cosí ci aveva rinunciato. Si sarebbe fatto vivo prestissimo, cosí aveva detto, ma non è tornato piú.

Per questi fatti, del primo e del secondo amante, madame ha deciso che i suoi bei capelli non le servono e se li è tagliati, malamente, con sforbiciate piú lunghe e piú corte.
"Che brutta che sono," dice con piacere.
Invece secondo nonno sta bene con i capelli corti. A lui i capelli piacciono lunghi e biondi, come i miei, biondi e corti, come li hanno mamma, zia e le mie sorelline, lunghi e ricci come li aveva madame e corti e ricci.

Madame ha anche deciso di vendere. I costruttori, sapendo che lei gli voleva parlare, sono arrivati subito e non hanno neppure aspettato che li andasse a prendere con la Ferrarina, ma hanno fatto la strada sterrata fregandosene di rovinare le loro belle macchine e le hanno mostrato il progetto del villaggio con i bungalow e i giochi e le piscine e le zone per l'animazione e le strade per il mare e i pontili per tuffarsi in acqua nei punti pieni di pietre. Le hanno offerto una fortuna e il compromesso era già pronto. Soltanto che madame a quel punto è scappata, lasciandoli soli in casa con il progetto e il compromesso da firmare ancora sul tavolo della stanza da ricevimento e nessuno riusciva a trovarla e tutti abbiamo pensato fosse caduta magari dal promontorio a picco sul mare.

Allora Pietrino ha detto che quando si fa buio e lui non è ancora a casa, vede dei sassolini luminosi che gli indicano la strada. Abbiamo formato l'esercito e abbiamo seguito il bambino, felice e, questa volta, Generale d'Armata, perché invece lui li vedeva i sassolini e anch'io ero sicura che quella era la strada perché sopra di noi sentivo come un fruscio ed erano sicuramente le ali di babbo. Cammina cammina, siamo arrivati dove stanno gli animali e madame era lí che piangeva, fra lo sterco delle galline e Niki Niki che la beccava dappertutto e la graffiava ferocemente con le zampe. Quando ci ha visti ci ha abbracciato e ci ha detto fra i singhiozzi che lei non vuole rovinarci con

la sua pazzia di non vendere, ma proprio non ce la fa
a sapere cosa è saggio e cosa è matto e cosa è giusto e
cosa è sbagliato e se magari possiamo volerle bene lo
stesso.

28. Il volo

Quando ce ne siamo accorti le fiamme nella casa di madame divampavano ormai dappertutto. C'era solo un lato della casa ancora intatto, ma lei non la vedevamo alla finestra, non sentivamo le urla. Con le pompe dell'acqua non riuscivamo a risolvere niente. Nonno ha inzuppato degli asciugamani e se li è messi sulla testa. "Pensa alla tua famiglia," gli hanno detto i vicini.

Non ha risposto. Si è liberato con forza dalle braccia che lo trattenevano ed è entrato nella casa. Dopo un po' l'abbiamo visto alla finestra con in braccio un fantoccio avvolto negli asciugamani. Noi avevamo steso un grande lenzuolo matrimoniale e lo tenevamo in alto tutti insieme e madame è volata giú. Intatta.

Urlavo: "Nonno! Nonno! Buttati giú, nonno!"

Ma lui forse non poteva. Non voleva.

29. Ali di babbo

Forse le ali di babbo volevano avvisarmi di un pericolo e io non l'ho capito. Perché babbo non è stato piú chiaro?

La nonna dei vicini dice che secondo lei l'incendio è venuto da dentro e magari è madame che l'ha scatenato, voleva morire perché i suoi amanti non la vogliono piú e non le arrivano le mestruazioni, che adesso le cinquantenni *bolinti abarrai pipieddas*[9]. Si sentiva vecchia e infelice. Come se per vivere fosse necessario essere giovani e felici. Si vive e basta. E poi chi l'ha detto che la vecchiaia è triste? Guardiamo lei, avanti e indietro da Parigi.

Anche la mamma dei vicini è d'accordo, pretendere la felicità è un peccato nei confronti del Signore. Perché la felicità che vogliamo noi umani non è l'armonia del Paradiso Terrestre, da cui siamo stati cacciati ed è logico sentirne nostalgia, ma una felicità materiale, un appagamento di desideri fisici, personali.

O forse madame voleva morire per il nostro bene, perché finalmente diventassimo ricchi? Oppure sono stati i proprietari delle terre vicine, quelli che

[9] "Vogliono restare ragazzine".

non abitano qui?

Oppure, distratta com'è, ha davvero dimenticato la pentola sul fuoco?

Oppure sono i costruttori dei villaggi turistici che volevano darle un avvertimento: "Stai attenta che se non vendi ti ammazziamo"?

O magari sono stati i suoi stessi parenti, per l'eredità?

O magari, ma questo posso pensarlo soltanto io, i fantasmi picchiatori durante una cerimonia in cui punivano madame, sono dovuti scappare per qualche ragione e hanno lasciato il forno a legna acceso?

Per me è uguale. Non mi importa. Madame ormai la odio. Non vorrei averla conosciuta e tanto meno averle voluto bene. Per me è morta anche lei, soffocata dal fumo dell'incendio.

Da quando nonno è morto, babbo non è piú tornato. Forse si sono parlati. La nonna dei vicini ha detto che il nipote a Parigi fa una tale vita, ci siamo capiti, sesso libero con le *egue*, cibo poco, sonno poco. Ha proprio bisogno di un angelo custode con le ali grandi cosí.

Forse babbo e nonno sono andati insieme a Parigi e volano su Notre Dame e sulla Senna e sul Quartiere Latino e, ovunque vada il trombettista jazz, lo seguono dall'alto. E magari volano anche sopra la nonna, quando va alla *boulangerie* e alla *boucherie*, o a passeggio con le amiche francesi lungo il *Quai*. E nonno ha imparato ad apprezzarla, adesso che lei nutre per il nipote un affetto particolareggiato e non generalizzato e ama il jazz e ha avuto il coraggio di cambiare.

30. Nonno

Madame non ce la faccio a odiarla davvero. È nostra ospite e dice che adesso che non c'è nonno per lei non c'è piú niente e tutta la vita è soltanto un grande spavento. Uno di questi giorni l'ho convinta a fare una di quelle nostre cose assurde come una corsa senza fermarci giú sino alla spiaggia o nuotare sino agli scogli affioranti in mezzo al mare per scaricare il dolore e il tormento. Ma è rimasta seduta sulle pietruzze bianche, in riva, e si è messa a fissarsi i piedi e le piccole onde che li coprivano e li scoprivano e mi ha detto che lei di nonno era innamorata. Neppure un attimo ha pensato di poter essere ricambiata da un uomo cosí. Bellissimo, con quella barba grigia ispida, perché non si radeva tutti i giorni, e quel fisico magro e quegli occhi azzurro scuro del mare quando soffia il vento forte e quelle mani. Intelligentissimo. Non potevi starci cinque minuti senza scoprire e capire qualcosa di nuovo. Ma quello che le diceva, dell'uomo del futuro, era a scopo terapeutico, per farle acquistare fiducia in se stessa e sicuramente neppure lui ci credeva. Lei era soltanto *sa tzia*. A madame non rimaneva che farsi delle fantasie. Sognava di loro due che sarebbero andati alle cascate, dietro i monti, e a un certo punto sarebbe scoppiato un temporale e avrebbero dovuto mettersi al riparo di una roccia e stare per forza stretti l'uno all'altra e si sarebbe fatto buio per tornare a casa e allora madame avrebbe dato a nonno dei baci sulle guance, per gratitudine, perché lui sapeva sempre i modi per salvarsi, e poi i baci glieli avrebbe dati sempre piú vicino alla bocca e la disperazione del temporale si sarebbe trasformata nell'unica vera felicità possibile e il nonno avrebbe detto che cosí univano l'utile al dilettevole. Oppure madame avrebbe potuto cadere da cavallo e perdere i sensi e nonno le avrebbe urlato: "Svegliati, amore mio". Oppure sentirsi male nuotando al largo e nonno l'avrebbe salvata e tenuta fra le braccia e le avrebbe fatto la respirazione bocca a bocca e magari si sarebbe reso conto che *sa tzia* gli piaceva.

Ma non era mai scoppiato un temporale cosí e nonno sapeva la strada di casa con qualunque tempo anche al buio, e Amélie era una cavalla vecchia e tranquilla e madame nuotava benissimo e arrivava agli scogli affioranti, al largo del promontorio, prima di tutti.

31. Ali di babbo

Pietrino ha un'idea felice di Dio, che è l'Unico che evidentemente gli risponde. Secondo lui basta chiedere. Allora madame ci ha provato e ha detto quasi per scherzo al bambino che a lei sarebbe piaciuto che tornasse nonno, o almeno che il suo primo o il secondo amante venissero a prenderla e a portarla via. Dopo pranzo abbiamo sentito suonare, al cancello abbiamo visto un fuoristrada, ci siamo spaventate e armate di arnesi agricoli per difenderci dai costruttori che sicuramente volevano ammazzarci e invece era il dottor Giovanni. Aveva letto sul giornale dell'incendio, si era spaventato, non capiva chi era morto e non si è dato pace finché non ci ha trovato. È andato dritto verso madame e le ha preso la testa spelacchiata fra le mani e le ha dato un bacio su una guancia e poi sull'altra e poi, tornando alla prima guancia, l'ha baciata sulla bocca. L'abbiamo fatto accomodare e gli abbiamo raccontato tutto, mentre madame lo guardava estasiata. Poi è andato via e non è piú tornato. Di lui, della sua vita, non sappiamo niente. Soltanto che ha fatto cinquanta disperati chilometri pensando che madame fosse morta e che per la felicità di ritrovarla l'ha baciata. Di certo quindi c'è che è un uomo capace di entusiasmo, capace di voler bene. A proposito del bacio in bocca, potrebbe essere un errore, potrebbe aver preso male le distanze passando da una guancia all'altra. Madame, quando chiude gli occhi, secondo me ripassa la scena del bacio del dottore, io farei cosí, perché la sensazione duri, oppure la scriverei, penso. E quando guarda dalla finestra, si capisce che aspetta il dottore. Soltanto che lui non viene. Un miracolo che Dio ha lasciato a metà. Una magia senza tutti gli elementi. Un errore nell'equilibrio fra le *monadi*.

Quello che mi dispiace di Dio è che abbia organizzato tutto magari nel miglior modo possibile, come dice Leibniz, ma che poi se ne sia andato, lasciandoci soli. Invece a me piacerebbe che entrasse nel merito di tutte le questioni, che ci si potesse trattare.

La nonna e la mamma dei vicini hanno di Dio proprio questa idea, che Lui sia sempre lí a suggerirti cosa fare. Cosí, consigliate da Dio, hanno riempito la Ferrarina di provviste e convinto madame ad andare dal dottor Giovanni e a ringraziarlo a nome di tutti per l'interessamento, per le idee su come mamma dovrebbe essere curata, per i consigli sull'artrosi della nonna dei vicini. Le hanno consigliato di parlare rigorosamente al plurale. Noi. Noi. Noi. Per non destare sospetti.

Alla partenza, madame ci guardava con quei suoi occhi liquidi da tigre innamorata e triste. "Mi hai promesso di dire il rosario," ha ricordato alla mamma dei vicini e la mamma dei vicini rispondeva: "Stai tranquilla," e un po' le accarezzava la testa e un po' sistemava le provviste nel portabagagli.

Io le ho sussurrato all'orecchio: "Del dottor Giovanni, nonno non direbbe mai che è una testa di cazzo".

E lei è scoppiata a piangere e anche noi e devo dire che dal giorno dell'incendio a madame non volevo piú bene, perché nonno è morto per salvarla. Ma adesso mi rendo conto che non è vero. Mio nonno si sarebbe gettato fra le fiamme per salvare chiunque. Mio nonno era cosí. Era lui l'unico uomo possibile del futuro. E poi lo so che ha voluto morire. Poteva buttarsi sul lenzuolo dopo madame. Invece lo diceva sempre che era annoiato, che almeno la morte sarebbe stata una novità e avrebbe visto se dopo c'era qualcosa. O no.

Madame non è ancora tornata. Ci ha chiamato al cellulare e ha detto di non preoccuparci, che va tutto bene, ma si è fatto tardi e il dottor Giovanni le ha impedito di mettersi in viaggio con il buio e l'ha convinta a stare sino a domani.

Adesso la mia povera madame, che non ha mai avuto niente, dorme di sicuro. A quest'ora magari dorme anche il musicista jazz. E anch'io dovrei. Ma non ci riesco. Soltanto se volano sopra tutti noi le ali di babbo e di nonno. Per loro è un niente andare da qui a Cagliari e poi a Parigi e poi tornare qui. Lascio aperta la finestra.

32. Agnese

Ormai il dottor Giovanni viene spesso a prendere madame e a volte non la riaccompagna e lei dorme da lui. Forse è per pietà. Forse è scomodo riaccompagnarla. Forse è soltanto per il sesso. Ma una cosa è certa, questo è un miracolo. E Dio fa i miracoli a modo suo, magari non quelli che ci si aspettava e bisogna accettarli cosí come sono.

Il fatto è che madame nella nuova situazione sta bene, anche se la casa di Giovanni è una villetta a schiera sulla strada statale 554 dove lei si sente soffocare nonostante lui a tavola la faccia sedere sempre di fronte al giardino, che però è quasi tutto di cemento. Ma il cemento doveva essere quello che ci voleva per il cappero, che non ce l'ha fatta a crescere nel meraviglioso terreno di madame e adesso fiorisce.

E poi c'è un gatto, Ariel, che non sopporta la presenza di madame e se ne sta nascosto e non va neppure a mangiare se lei è nelle vicinanze. Madame passa tanto tempo a parlargli ad alta voce sperando che lui capisca, ma il gatto non esce dal nascondiglio e se esce perché sente la voce di Giovanni e la vede, dondola la coda per il nervosismo.

Madame si preoccupa e ha paura che Ariel fiuti che lei non sarà mai di casa. A me di madame non piace la nuova pettinatura. Piace a Giovanni. Assomiglia a quella della Gioia, liscia con le virgole. E mi dispiace anche che Giovanni le abbia proibito di cucirsi quei bei vestiti fatti di tovaglie e tende e asciugamani, quelli da bambola trovata nelle macerie di Stalingrado. E insomma. Comunque loro sono felici.

Il dottor Giovanni, con tutte le donne che ha avuto, ha deciso che sposerà proprio madame. Non se lo sa spiegare, è un mistero la ragione per cui qualcuno ci prende il cuore e a questo qualcuno ci affezioniamo, ci leghiamo. Madame era madame anche prima e nessun amante l'ha amata e, io lo so, veniva anche scambiata per un cane a cui lanciavano sotto la tavola gli avanzi. E adesso il dottor Giovanni ogni sabato mattina va al mercato e compra per lei le cose piú prelibate e a tavola le versa i vini migliori nel bicchiere e le raccoglie perfino il tovagliolo, ché madame ha questo problema di lasciarlo sempre cadere, e glielo appunta con una spilla al vestito.

E poi c'è un'altra novità, bellissima, che Giovanni chiama madame con il suo vero nome, Agnese.

Agnese, nessuno mai la chiamava con il suo nome. Da piccola la chiamavano "l'ultima di casa", a scuola "l'asina", poi "la cameriera", "la sarta", "la fantina", "l'ereditiera", "l'albergatrice", "*sa tzia*", "madame".

Quando Giovanni la chiama "Agnese!" lei a volte

neppure risponde per quanto non sa di essere Agnese.

La nonna dei vicini dice che con gli altri si dava troppo presto e il sesso non lo faceva desiderare e invece è quello che vogliono gli uomini e per farsi sposare bisogna tirare sino all'ultimo giorno. Madame dice di essere convinta che questa delle mestruazioni è davvero una faccenda psicologica, perché non arrivano piú e ha però sempre tanta voglia di fare sesso con il suo uomo. Quindi vuol dire che con Giovanni è già andata a letto e anche la tesi della nonna cade. Come qualsiasi spiegazione logica. Cos'è stato allora? La ruota della Fortuna di babbo che prima o poi doveva per forza girare? Una magia? Il Dio dei vicini?

La mamma dei vicini è preoccupata. Non si fida del dottor Giovanni. Che bisogno aveva di sposare madame? Perché non l'ha semplicemente invitata a vivere con lui, visto che era ormai senza casa? Il fatto è che il dottor Giovanni deve essersi informato bene a proposito della terra e la mamma dei vicini ha paura che lui voglia uccidere madame, con un delitto perfetto, ereditare tutto, vendere la terra e diventare miliardario. Il primo e il secondo amante di madame, certo, non la amavano e non volevano sposarla, ma almeno si era sicuri che non l'avrebbero uccisa per l'eredità. Mentre parlava non si è accorta, come al solito, che c'era Pietrino e il bambino si è messo a piangere e a strapparsi i capelli e a urlare che nessuno gli crede, che il dottor Giovanni non può uccidere madame perché l'ha mandato Dio a prenderla, come quando Dio ha mandato il pesce grande nell'acqua bassa, o abbiamo trovato madame con i sassolini luminosi. Oppure quando è cambiata la direzione del vento mentre lui stava tornando con la zattera da Serpentara, dove ha seppellito i tesori che il fratello grande gli ha portato da Parigi. Si è alzato il vento fortissimo e contrario e la zattera era sballottata dalle onde altissime e stava per affogare, ma gli è bastato fare le preghiere, come gli hanno insegnato i suoi genitori, e il vento è diventato favorevole e ha soffiato nella direzione di casa.

La mamma dei vicini si è girata di scatto: "Cosa dici? Cosa dici?" urlava e lo picchiava forte, "Tu sei pazzo, dimmi che non è vero!" e lo scrollava come un bambolotto di pezza.

"Io vado sempre a Serpentara con la mia zattera, la mia zattera ha la vela e può andare anche piú lontano. Io da grande farò il navigatore. Controllate pure se nell'isola, nel punto che vi dico io, ci sono o no i tesori di Parigi!"

La mamma dei vicini si è accasciata su una sedia, mezza morta.

Le dicevo: "Ma ormai non è successo niente. Il bambino è sano e salvo. È un genio. Si è costruito una zattera, come un naufrago, e ce l'ha fatta. È un grande marinaio". E andavo ad abbracciare Pietrino e a complimentarmi, mentre la mamma continuava a singhiozzare.

Lasciata la famiglia dei vicini a fare domande e ad ascoltare Pietrino, sulla via di casa ripensavo a questa faccenda dell'omicidio e la mia idea è che se anche il dottor Giovanni ha sposato madame per ammazzarla ed ereditare, il miracolo, o magia, è avvenuto lo stesso, perché madame, almeno, prima di morire è stata felice, con la sua fede matrimoniale che ammira continuamente e che poi si sfila per leggere "Giovanni".

Comunque, questa idea dell'omicidio per l'eredità, qualcuno a madame deve averla messa in testa, perché la terra prima di sposarsi l'ha regalata alla mia famiglia. Io volevo subito regalare di nuovo a madame la mia parte, ma quando ho capito che neppure mamma e zia vogliono vendere, allora ho accettato. Non ho osato chiedere a madame se il dottor Giovanni tutto questo lo sapeva, prima del matrimonio, insomma, che stava sposando una poveraccia e neanche giovane.

Quando sono arrivati i costruttori, li abbiamo ospitati con gentilezza, loro già sapevano che la proprietà è della mia famiglia. Gli abbiamo riempito le auto di ogni bendiddio, ma li abbiamo anche pregati di non tornare piú. È venuto il babbo dei vicini e gli ha fatto intendere che la Polizia li tiene d'occhio, nel caso di un altro incendio.

È tornato anche il musicista jazz. Dopo sacrifici enormi aveva comprato il biglietto del concerto di Oscar Peterson, il suo mito, che adesso a luglio suona a Parigi. Saputo dell'incendio, il biglietto l'ha venduto e ha preso il primo volo per Cagliari. Mi ha telefonato e mi ha chiesto se per caso madame avesse bisogno di qualcosa per rincoglionirsi e non pensare. Lui a Parigi, anche se personalmente non ne fa uso, conosce gente che qualcosa gliela può procurare. Ma io gli ho risposto di no. Di non mettersi nei pasticci, che gli manca soltanto di finire in prigione e cosí non può piú tornare qui. Allora mi ha chiesto se una volta vado anch'io a trovarlo, è certo che la nonna mi pagherebbe il viaggio. Gli volevo spiegare che sono di nuovo ricca, adesso, perché ho tutta questa terra, ma poi ho pensato che la mia è una strana ricchezza, perché, visto che non vendiamo e dobbiamo anche ricostruire l'albergo e l'assicurazione non è granché, dovremo fare molti sacrifici e sembreremo delle poveracce. Ma noi lo sapremo di essere ricche, e saremo contente cosí.

Quando è arrivato, il figlio grande dei vicini ha suonato per nonno, fra i resti bruciacchiati dell'albergo, un pezzo bellissimo di Händel e madame, con la sua voce melodiosa cantava: *"Lascia ch'io pianga mia cruda sorte! E che sospiri la libertà! E che sospiri, e che sospiri, la libertà!"*

33. Ariel

Zia dice che il grande filosofo Hegel definirebbe tutto quello che è successo *un'astuzia della ragione, un'eterogenesi dei fini*. Nel senso che talvolta uno può agire nel modo migliore e le cose vanno male e magari fa la cosa piú sbagliata di questo mondo e tutto va per il meglio. In un certo senso è andata cosí. E secondo me l'astuzia è stata di nonno. O di babbo. E ha ragione anche Leibniz, e magari questo è davvero *il miglior mondo possibile*, il meglio che Dio sia riuscito a fare. Ma se il mondo l'ha creato Lui, che può tutto, perché nonno è dovuto morire?

Il fatto è che il dottor Giovanni ha capito il male di mamma e ha consigliato una visita neurologica, anziché continuare con l'ortopedico, e la cura sta funzionando e mamma si alza dal letto senza che la sorreggiamo e fa anche delle piccole passeggiate. Certo non in città, o in paese, perché ancora i viaggi in auto sono pericolosi, ma per i sentieri, sino a dove inizia la mulattiera che porta giú al mare.

Da lí l'orizzonte è infinito e se c'è vento mi piacciono le sue gonne che si gonfiano e i suoi capelli che si scompigliano e soprattutto vederla sorridere davanti a tutte le gradazioni di celeste, turchese, violetto, blu del mare. Adesso di nonno dice che era il miglior padre possibile e non ce l'ha piú con nessuno.

Zia continua a studiare Leibniz, ma trovare un lavoro non è piú un'ossessione, perché dovrà occuparsi anche dell'albergo, che il babbo dei vicini sta ricostruendo, secondo il suo sogno di edilizia ecologica. In effetti il Generale d'Armata e il Generale di Divisione non avevano tutti i torti e l'albergo sta venendo su veramente brutto. Anzi, piú che brutto, buffo. Sembra un giocattolo, con quel mulino a vento e quel tetto di vetro nero. Ma a forza di passarci davanti ci si abitua. Anche mamma e zia, le altre proprietarie oltre a me, sono d'accordo che in questo caso è il Generale di Corpo d'Armata a comandare e se qualcuno dice che in un albergo cosí verrà ancora meno gente di prima, noi non gli crediamo, perché se si è sposata madame Agnese, tutto può succedere.

Pietrino frequenta la prima elementare e un giorno a scuola hanno proiettato il film *Aladino* e la storia l'ha molto colpito. Ha confidato alle mie sorelline che se lui fosse Aladino, chiederebbe al Genio della lampada tre cose: che le scuole sparissero e non potessero essere ricostruite mai piú, andare a vivere per conto suo sull'isola di Serpentara, volare. Le sorelline si sono molto spaventate perché temono che il bambino, tenuto sotto controllo per tutto quello che riguarda la zattera, adesso magari si costruirà delle ali.

Madame è riuscita a conquistare Ariel e adesso lo porta qui e lo fa scorrazzare fra la macchia. Ariel, per la magia che gli è capitata, appena entra nella Ferrarina si rotola sul sedile posteriore e poi torna buono buono nella gabbietta, perché sa che deve soffrire un po', ma poi andrà ad acchiappare le lucertole e gli uccellini e tornerà tutto sporco di sterpi e foglie e fango e madame lo aggiusterà un po' prima di tornare a Cagliari e lui adesso non dondola piú la coda per il nervosismo, ma fa dei rotolini sulla schiena, pancia all'aria.

Madame verrà ad aiutarci in albergo, soprattutto per la cucina, e forse io ho troppa fantasia, come sostiene mamma, ma quando fa questi discorsi e Ariel è lí vicino, inizia a rotolarsi per la gioia e sembra un tigrotto che sta per ritornare nella giungla. Perché Ariel è tale e quale al gatto selvatico sardo e Giovanni l'ha trovato cucciolo e malandato in un posto come questo. Gli ha dato da mangiare e l'ha trattato bene e quando l'ha portato dal veterinario il dottore ha esclamato: "Che spettacolo di gatto!"

Nonno una spiegazione all'amore di Giovanni per madame saprebbe darla. Direbbe che anche Giovanni è un possibile uomo del futuro. Per questa sua mania di portarsi a casa esemplari di specie in estinzione.

Madame dice che verrà ad aiutare, ma appena passano un po' di ore ha già nostalgia di Giovanni e gli occhi iniziano a diventarle sempre piú gialli e sempre piú liquidi come quelli di una tigre che si è persa. Allora se la prende con Ariel che si nasconde e cerca di acchiapparlo: "Andiamo a casa! A casa! Ingrato! Perfido! Mai piú mi fiderò di te! Mai piú!" E quando l'ha acchiappato lo bistratta e lo mette nella gabbietta, ma mentre mette in moto la Ferrarina, inizia già a scusarsi con il gatto e a dirgli che lei non ce la fa a stare tanto senza Giovanni.

Per non distrarre Agnese, che sta guidando, Giovanni chiama noi al cellulare per sapere quando è partita, cosí calcola i tempi e magari va a cercarla se tarda troppo. Una cosa che lei non sapeva neppure cos'era. Qualcuno preoccupato per la sua vita.

Ho pensato che io invento tante scene sull'amore e invece l'amore è una cosa per niente scenosa. Anche la magia sicuramente è molto piú semplice di quanto crediamo. E anche Dio. E magari questo è davvero *il miglior mondo possibile*. Come quando il dottor Giovanni è venuto a cercare madame e l'ha baciata e si è messo a chiamarla Agnese, o il figlio dei vicini piangeva e poi rideva perché non si era accorto del cambio di stagione e a me sono arrivate finalmente le mestruazioni, o la nonna ha detto che lei era felice perché il nipote era stato l'unico a non prenderla per vecchia rincitrullita, o mamma e zia hanno deciso che la terra non si vende, o quando nella vita di Ariel è arrivata madame e con lei le gatte da amare, gli uccellini e le lucertole a cui dare la caccia. Ma soprattutto quando, con il cuore che mi batteva all'impazzata, ho chiesto a madame: "Ma Giovanni lo sapeva, prima di sposarti, che la terra l'avevi regalata a noi?"

"Certamente! Perché non avrei dovuto dirglielo?"

"Magico!"

"Infatti una magia l'ho fatta. Ti ricordi la carta in cui era avvolto il bouquet da sposa che avevano tirato in testa alla nonna dei vicini? Ci ho impacchettato il nastro con la registrazione del rumore del mare che ho regalato a Giovanni per Natale".

34. Essere felici

Madame, che ormai è Agnese, dice che la sua con Giovanni è una felicità talmente grande da non poterla sostenere e che essere felici non è facile come pensano i poveretti che si dibattono nelle difficoltà. Come pensava lei prima. Dice che l'unico modo perché questa sua felicità non finisca è finire prima della felicità. Morire per non morire. Perché Giovanni prima o poi si stuferà di lei. Giovanni ha viaggiato in tutto il mondo, Cina, Giappone, Terra del Fuoco, Galapagos, Filippine, Islanda, Tibet, Siberia, Mongolia, Perú, Bolivia e altri posti ancora, e lei invece ha passato la vita a nascondersi, da piccola nei bidoni della spazzatura e nel letame, e poi nella macchia. Quindi si sta convincendo di non essere fatta per Giovanni. Né per Giovanni, né per la felicità.

Lui sí. In ogni cosa vede il lato positivo. Una volta le ha detto di essere grato alla vita anche per tutte le cose che gli erano andate male, semplicemente perché lo avevano portato da lei. Soltanto che lei non è all'altezza. Neppure si riconosce nel proprio nome. Agnese. Agnese. Ma chi è Agnese?

Giovanni ha avuto tante bellissime donne di cui

conserva le fotografie e ha fatto l'amore con straniere, soprattutto orientali, capaci sicuramente di prestazioni sessuali sofisticatissime, come quella di stappare le bottiglie con la vagina e chissà quante altre stranezze, mentre madame, nonostante tutti gli amanti, sa fare soltanto delle cose molto semplici e per ora Giovanni ha sempre voglia di lei, ma è chiaro che prima o poi tutto quello a cui è abituato gli mancherà.

Certe notti, prima di dormire, madame chiede a Giovanni se è felice. I primi tempi lui diceva subito di sí. Adesso risponde che sta bene, molto bene. E madame non riesce piú a prendere sonno. E se si addormenta, fa sempre un brutto sogno: che Giovanni dorme e lei no e allora si siede nella poltroncina vicino al letto, ad aspettare il mattino, e si fa la cacca addosso e sporca la poltrona e proprio allora Giovanni si sveglia e le parla dolcemente e mai sospetterebbe di nulla. Quindi non può alzarsi ed è condannata a restare lí per sempre, se non vuole che Giovanni capisca che si è sposato una cagona, altro che Agnese.

In fondo stava meglio quando era una creatura marginale, di cui gli amanti non si curavano, almeno non era responsabile della felicità di nessuno. Stava meglio perfino quando era una creatura disprezzata e i fantasmi la picchiavano e la umiliavano. Almeno allora era proprio lei. Madame. Adesso non si riconosce piú, con quel marito che l'ha scambiata per una principessa, e la principessa tutte le notti si trasforma in una cagona e lui prima o poi lo scoprirà.

Se ci fosse nonno sarebbe diverso. Ma nonno è già morto una volta per salvarla e cosa può fare di piú. Di sicuro si arrabbierebbe, come quando madame diceva che voleva morire: "Ma allora io non ci sto a fare proprio niente," diceva, "tanto vale che neanche ci parliamo noi due, parlare con te è come parlare con il muro!" E lei si spaventava all'idea che nonno rompesse l'amicizia e assicurava che no, non voleva piú morire, voleva diventare l'uomo nuovo del futuro, purché lui le restasse amico. Ma adesso che nonno non può arrabbiarsi, l'unica cosa che ha in mente è finire prima della felicità. Cosí quando i tempi duri torneranno, lei non ci sarà.

Ogni volta che viene a trovarci, madame fa questi discorsi tristi e ha nuovamente bisogno di quelle prove estreme di quando ci veniva il nervoso e correvamo su e giú per la mulattiera senza fermarci, o nuotavamo fino agli scogli affioranti o ci buttavamo in mare nell'acqua gelata in inverno. Soltanto che non mi vuole piú e preferisce andare a scaricare il nervosismo da sola. Io mi preoccupo e il cuore inizia a battermi forte, cosí mi metto in strada e vado dai vicini per vedere se è lí e la nonna dice che madame *esti cummenti chi non di ha mai biu*[10] e anche la felicità deve essere presa a piccole dosi e digerita, e che un po' di moto dopo mangiato

[10] "È come chi non ne ha mai viste": si dice di cose belle, di grazia di Dio.

non può farle che bene e anche zia è d'accordo, perché madame è proprio come quelli trovati ancora vivi nei campi di sterminio. Appena mangiavano morivano. Molti parenti dei suoi amici ebrei sono finiti cosí. La mamma dei vicini sospira e dice che prima chiediamo a Dio i miracoli e quando succedono ci rifiutiamo di crederci.

Ma ieri me lo sentivo che era un'altra cosa. Si è messo a piovere all'improvviso, lampi, tuoni, cielo nero e madame non tornava e perfino Ariel è rientrato per paura del temporale. Allora è successa una cosa straordinaria. Ero seduta sulla mia poltroncina, studiavo, c'era un po' di freddo e avevo le gambe sotto una coperta leggera. Il vento forte ha spalancato la finestra e la coperta si è sollevata su sino al soffitto e ha formato le ali di babbo. Mi sono buttata in strada di corsa sino alla casa dei vicini e c'era la nonna che doveva dormire lí per il brutto tempo.

"Dammi gli scarponi," ha gridato alla nuora, e siamo corse fuori; lei con il tailleur di Parigi e io che non mi ero neanche messa l'impermeabile. Ci ha raggiunto Pietrino, con la cerata da marinaio e uno zainetto e ci ha superato. Non sapevamo che direzione prendere e cosí abbiamo seguito il bambino. Ho pregato che vedesse i sassolini luminosi e forse era cosí, perché correva e sembrava sapesse dove doveva andare. Siamo arrivati alla mulattiera. Le onde erano altissime e ma-

dame era lí, imbambolata, un puntino che sembrava
sovrappensiero in mezzo alla spiaggia nera invasa dal-
l'acqua nera. Ogni tanto cadeva per la forza delle onde
fragorose e poi si risollevava e la violenza dell'acqua
la faceva cadere di nuovo e la trascinava per un pezzo
verso il mare e lei restava lí. Non si difendeva e sembrava si lasciasse portar via. Non cercava di raggiun-
gere la parte piú alta della spiaggia. Secondo la curva
che prendeva la mulattiera, la perdevamo di vista e poi
di nuovo era sempre lí. Ci siamo messi a urlare, ma la
burrasca copriva le nostre voci e il mare poteva prendere madame da un momento all'altro. Allora Pietrino
ha tirato fuori la pistola lanciarazzi per gli S.O.S. e ha
iniziato a sparare un razzo dietro l'altro e sembravano
i fuochi artificiali. Madame si è voltata verso di noi e
ha iniziato a risalire come poteva. Quando l'acqua la
raggiungeva, cadeva e poi si rialzava e guadagnava un
pezzo di salvezza e anche noi correvamo giú per la mulattiera sino a quando ci siamo incontrati. Pietrino e io
l'abbiamo abbracciata, invece la nonna dei vicini non
me la potrò dimenticare, in tailleur fradicio parigino
e scarponi, davanti, a parlare da sola: "*Macca esti*[11],
scimingiada[12], *elle est folle, elle est folle!*"

Agnese camminava mogia mogia fra me e il bambino, verso casa.

[11] "È matta".
[12] "Stordita".

35. Chi era quello con le ali?

Dopo questi fatti, ho deciso di raccontare tutto a mamma, le lenzuola che si trasformavano e salivano su sino al soffitto, gli scherzetti, il vento e come ero stata guidata sempre verso la fortuna e la felicità. Mamma mi ascoltava a bocca aperta, in silenzio. Cosí ha deciso di dirmelo. Lei ha sempre saputo dove è nascosto babbo.

Ma allora, se babbo è vivo, chi era quello con le ali?

Indice

nottetempo

narrativa

Robert Louis Stevenson
Il principe Otto

Juan Marsé
Il caso dello scrittore sfumato

Tanguy Viel
Cinema

Vladimir Dudincev
Storia di Capodanno

Charles Dickens e Wilkie Collins
Senza uscita

Philip Larkin
Turbamenti a Willow Gables

Abdelkader Djemaï
Camping

Christian Oster
In treno

Paolo Morelli
Vademecum per perdersi
in montagna

Bernardo Atxaga
Sei soldati

Jean-Philippe Toussaint
Fare l'amore

Jesús del Campo
Le ultime volontà
del cavalier Hawkins

Fabrizia Ramondino
Il calore

Juan Marsé
Tenente Bravo

Antonio Prete
Trenta gradi all'ombra

Enrique Vila-Matas
Suicidi esemplari

Maria Pace Ottieri
Abbandonami

Paolo Morelli
Er Ciuanghezzú
(ner paese der Gnente)

Christian Oster
Lontano da Odile

Milena Agus
Mentre dorme il pescecane

John Wyndham
Considera le sue abitudini

Tawfîq al-Hakîm
Diario di un procuratore
di campagna

Marghanita Laski
Il bambino perduto

consulta il catalogo completo di
nottetempo collegandoti al sito:
www.edizioninottetempo.it

Seconda edizione finito di stampare nel febbraio 2008
dalla tipografia Duemme grafica s.a.s, Roma